年齢別保育実践シリーズ3

3歳児の遊びが育つ

編集責任　小川　博久

はじめに

幼稚園教育要領が新しくなり、遊び中心の保育の重要性が指摘されております。また、保育所保育指針も改訂されました。

こうした新しい保育の動向が模索されているなかで、「年齢別保育実践シリーズ」が刊行されることになりました。保育における遊びの重要性は今さらいうまでもないことですが、このシリーズではこの遊びを改めてとらえなおし、そこに新しい光をあてられたら、保育にたずさわる人々にとって有益なことではないかと考えました。そのためベテランの研究者だけでなく、新進気鋭の若い人々にもお願いしました。そしてその際、できるだけ現場の保育に密着したものであること、しかも、それが分かりやすいものであること、だからといって理論的に安易なものにならないように努めました。この本の作成に参加された皆さんは元気いっぱい、真剣に仕事にたずさわってくれました。

ですから、できるだけ多くの人々に読んでいただければうれしいのです。

こうした編集の意向を最大限尊重し、原稿の遅れを忍耐強く待ってこのシリーズの刊行に努力してくださったフレーベル館に心からお礼申し上げます。

編集責任者　小川　博久

目　次

第四章　幼児の表現としての遊び

序章　遊びの発達をどうとらえるか

一、このシリーズのテーマについて

『「遊びが育つ」保育実践シリーズ（五巻）』の発刊にあたって、この五巻を通して見通すことのできる「遊び」と保育との関係について述べたいと思います。

まずはじめに、このシリーズの表題の意味について述べたいと思います。これまで保育の現場では「遊びを育てる」という表現が一般的でした。保育者の立場に立てば、「遊びをどう育てるか」が重要な課題だったのですから、この表現になるのも当然なのです。しかし編者としては、あえて「遊びが育つ」としました。なぜでしょうか。ここには、子どもの遊びそのものに対する保育者や、われわれ大人の理解の仕方を問い直したいという願いがあるのです。

編者にとって「遊び」とは本来、大人がいろいろいじくりまわすものではない。子どもたち自らが自分たちの力で育てあげるものだという「遊び」そのもののとらえ方に基づいています。いいかえれば、遊び方を教えてやれるドッジボールと自分たちで学んでいくドッジボールとの間には大きな違いがあると思うのです。もちろん、「ドッジボールを知らない子どもがドッジボールをおもしろいと思ってやるには、教えてもらわないでどうしてできるのか」「お前は保育者のそういう役割を否定するのか」といった根本的疑問が、この遊びの考え方には提起されるでしょう。

編者としては、そうした疑問を承知であえて「遊びが育つ」としたのです。なぜでしょうか。その理由をこれから述べたいと思います。

まず第一の理由は、「遊び」そのもののとらえ方からきています。遊びとはそもそも自分がやりたいという気持ちをもって（自発性）、楽しいという気持ちを味わいたいために行われる自由な活動だといわれています。この遊びの本来の意味からすれば、子どもの遊びについて教えるとか指導するということは、たとえそれが教育的配慮という善意の想いから出発したとしても、それを全面的に承認することはひかえなければなりません。「遊びが育つ」としたのは、子どもたち自身がつくり出す子どもたち自身による楽しみの世界をまず認めて、子どもの意志を無視して勝手に入り込むことはやめたいという願いがここにこめられています。

「遊びが育つ」とした第二の理由は、幼稚園や保育所における保育の実際から、「遊びを育てる」という表現より、「育つ」の方がよいと考えたからです。現在、幼稚園、保育所では、「遊び」という言葉が氾濫しています。「ことば遊び」「数遊び」「体育遊び」などさまざまです。そうした活動をみてみると、小学校の授業のように、先生がきっちり教え込んでいることが多いのです。どこに「遊び」という言葉を使う必然性があるのかわからないこともしばしばです。そうした活動には、子どもの自発性とか、子どもの興味とか、子どもの自由といった要素がどこにあるのかわからないことも少なくありません。この辺で保育の現場でなぜ遊びという言葉を使うのか考えてみる必要があると思うのです。

保育の場で、「遊び」という言葉を使うのは、保育が小学校以上の学校の授業で行う教授活動（教え―学ぶ）という関係とは根本的に異なった活動であることを示すためなのです。保育は、原則として幼児が自主的に取り組む活動を援助することから成っています。「……遊び」という表現は、その活動に幼児が自ら自主的に取り組むという状態を生みだしたいという願いから使われています。その言葉が幼児に教えるという活動にも使われてしまうと「遊び」という言葉を使う必然性はないのです。「遊びを育てる」という表現は即「遊びを教える」という意味に解釈されやすいのです。

「遊びが育つ」とした第三の理由は、近年幼児を取り囲む環境が大いに変化し、「遊びが育つ」環境がなくなりつつあり、このことが幼児の発達にとって問題だと思うからです。

最近幼児をとりまく環境は大きく変化しています。幼児たちが自分たちだけで、また年上の子どもたちと遊ぶ環境が少なくなっています。特に都市環境では遊ぶ場がありません。かりに遊ぶ場があっても、子どもたちの自主的集団がないので、いきおい子どもたちは、親といっしょにいることが多くなります。親も幼児がいつも自分のそばに漫然といたり、ただテレビをみているだけだと心配なので、早くから幼稚園の三歳児に入れるとか、塾に通わせようとする傾向が大きくなります。幼児をとりまく環境の中で、幼児に教え、指導しようとする大人たちの傾向はますます増大しているのです。

特に現代は情報化社会とよばれています。情報化社会は実際の行動よりも情報が先行する時代です。別のいい方をすれば、情報を先取りすることで、行動をコントロールする時代です。例えば、結果がわからないのに行動を起こせば失敗します。見たい映画を見に歓楽街に出ていけば、その映画をやっていないかもしれません。前もって雑誌や新聞広告で映画をやっているかどうか見ておけば、わざわざ映画を見にいっても、見そこなうことはありません。同様に、前もって飛行機に搭乗する切符を電話で予約しておけば(情報処理しておけば)、わざわざ出かけていって飛行機に乗れないということはありません。現代社会は、失敗をできるだけ防ぐために、情報処理によって最適な行動をとることができるようになってきています。そのかわり、コンピューターの処理を一つ失敗すると大変なことになります。

こうした社会のあり方は、親や大人たちの子どもへのかかわり方に影響を与えずにはおきません。子育てにおいても、それは現れています。一つは経験の積み重ねによって子育てを学んでいくとか、周囲の人びとの子育てをみて学んでいくよりも、育児書や専門家の知識をたよりに子育てをしようとします。もう一つは、子育てにおいて言葉による指示が優先されたり、頻繁になっていったりしがちです。このことは、子どもが自分でみたり聞いたりしたことをいろいろ試みてみて、失敗を繰り返しながら、しだいに成長していくといった育ち方を阻害することにもなります。親は自分の思い通りに子どもを育てようとするのです。ここには、子どもの遊びが育つための人的環境が失われていくことを意味します。

同じことが物的環境についてもいえます。子どものおもちゃの中に、機械仕掛けのものが増えていて、ボタンを押したり、スイッチを入れたり、キーを押したりすれば、相手が好きなように動いてくれるものばかりです。一見、何のへんてつもない積み木などは幼稚園や保育所にしかありません。幼児が少しずつ使い慣れていって、使い込んでいかないと、自分のイメージに合った遊びが生まれません。それだけに試行錯誤を重ねながら、使い込むようになれば、幼児はいろいろなイメージ空間をそれでつくれるのです。こうした遊具が幼児の環境から失われることは、とりもなおさず、子どもの自立した姿が育ちにくくなっていることを意味しています。

こうした状況において遊びを育てるといういい方をすることは、子どもが自分で環境の一つである遊具に取り組みながら、自力で遊べるようになるというよりも、大人や保育者の教えで活動に取り組むようにしむけられる傾向を助長すると考えるからです。なぜなら、前述のように情報が先行する時代に、ともすれば、大人たちは遊びの体験よりも先に知識を与えようとするからです。

二、遊びをどうとらえるか

では、このシリーズでは遊びをどうとらえているのでしょうか。遊びについてはこれまで多くの人びとが定義をしてきました。そこで、ここでは特定の人の定義をとりあげるのではなく、それぞれの定義に共通な点を考えてみたいと思います。

まず第一に、遊びは遊び手が自ら進んで取り組む活動であるということです。これを遊びの自発性とよんでおきます。つぎに遊びは、遊び手が他の目的をなしとげるために遊ぶのではなく、遊ぶことそれ自体が目的で行われる活動だということです。これを遊びの自己完結性とよんでおきます。例えば、まりつきをやるのはまりつきをしたいからやるということです。これを遊びの自己報酬性とよんでおきます。第三に重要な点は、その活動の中に苦しみや緊張を伴うことがあったとしても、最終的には、楽しいとか喜びの感情を伴う活動だということです。これを遊びの自己報酬性とよんでおきます。最後に、遊びは自ら進んでその活動に参加しなければ味わうことはできません。もちろん野球を見て楽しむということも遊びといえないことはありません。心情的には参加しているのですから。でも子どもの遊びに関していえば、自ら参加することは大切な要素です。そこでこれを遊びの自己活動性(あるいは自主性)とよんでおきます。

さて、こうした遊びの定義には一つの問題点があります。それは、右のような遊びの特色は、子どもの活動の中に具体的な形で現れてこないということです。いいかえれば、この遊びの特色を目安にして、どんな幼児の動きや行動が遊びとよべるのかを判断することはむずかしいのです。ところが養育する立場にいる親や保育者にとって必要なのは、遊びとよばれる活動はどんな行動や態度からなっているか、どうすればそれが育つかをみきわめることなのです。そして特にこのことは、子どもの発達の中で遊びをとらえようとするときに必要になります。幼児の遊びはいつどんな行動として現れるのか、それをどうみきわめていくかを知らなければなりません。

そこでこのシリーズでは、遊びという活動の発生とその発達をつぎのようにとらえることにしました。まず先の定義の中にある遊びの中で、比較的とらえやすい特色として、自発性、自己活動性をあげることができます。

そこで遊びという幼児の活動がこの二つの特色を必要な条件としていることから、幼児の発達の中でのこの二つの特色の発達を見ていくことにしました。それは広い意味での遊びの芽生えを見ていくことになります。とはいえ、このままでは幼児の行動を見る目安にはなりません。なぜなら、自発性とか自己活動性というものをみきわめていく具体的なものさしがないからです。例えば、幼児が足をバタバタさせることも、自発性、自己活動性といえなくはないからです。特に発達の中で、遊びをとらえようとするときには、自発性や自己活動性の意味があいまいなままでは困ります。なぜなら、発達では、自発性や自己活動性の程度の差や質的特徴が問題になるからです。そこで遊びを発達の中でとらえるための指標として、〇歳～三歳未満の幼児の場合、養育者と幼児の絆を柱とし、その関係の中での自発性、自己活動性の発達を考えました。

つぎに三歳～五歳までの幼児の遊びについては、幼児たちがつくり出す自主的な集団の中で、自発性、自己活動性を考えていくことにしました。もちろんこの枠組みだけで遊びとよばれる多様な活動がとらえられないこともたしかです。例えば、五歳児が一人で虫とりに熱中することもあるのですから、ただ、大まかな枠組みでもないと、自発性とか自己活動性の発達については語れないのです。

三、遊びの発達をどうとらえるか―自己活動性として遊びをとらえる―

(一)　養育者（母親）との関係の中での自発性

母子関係の絆を軸として幼児の発達の中で遊びの成立をどうとらえるかはとてもむずかしい問題で

す。遊びのとらえ方が異なれば、その成立の時期の決め方も異なってきます。でもここでは、そうした議論に深く入らないことにします。保育者の願いは、幼児が自ら活動を選んで取り組み、その活動を行うことに喜びを感じて、その活動を自力で展開してほしいということです。ですから、そうした保育者の願いを満たすような幼児の活動を広く拾いあげて、遊びの芽生えにつながる活動と解釈することにしました。

ではそうした自発性や自己活動性はどのように発揮されるのでしょうか。最近の乳幼児の発達研究で特に強調されていることに、母（養育者）と乳児との絆ということがあります。胎児は子宮の中ですでに母の声や母の味覚に対する好み、光などに反応しているといわれています。ですから、誕生時において母と子は、音（母の声）、匂い、乳の味、母親の顔など五官のすべてにおいて、母親と結びついています。そうした本能的な結びつきのおかげで、乳児は母親に守られ、養われて育ちます。乳児はこうした絆のおかげで栄養的にも、心理的にも安定して育つことができます。母親も子どもに乳を吸われることで、母親としての健康な身体になっていき、母親としての役割や態度を身につける基礎ができあがります。

しかし、こうした本能的な相互の結びつきは、しだいに随意的な行動、自ら選んで行う相互行動に発展していきます。J・S・ブルーナーという人は、乳児の選択的行動はすでに母乳を飲むという行動に現れていると述べています。母親の乳の出方が多い場合と少ない場合とでは吸い方が違うというのです。乳児は、状況に応じて最適な行動をとるという知性をもっているというわけです。これはすでに乳児の中に自発性が芽生えているということもできるわけです。

乳児の自発性の現れは、そうした行動だけではなく、養育者との間のコミュニケーションの中にみられます。空腹、睡眠、排泄等の自分の生理的状況に応じて、泣き方を変えることをおぼえるようになります。これは、養育者の側にこれを聞きわける能力が育てば育つほど、そうした泣きわけが巧みになるのです。こうしたコミュニケーションの能力は、コミュニケーションの内容だけでなく、コミュニケーションの仕方にもみられるのです。例えば、喃語期の赤ちゃんがおむつの取り替えのときなどに示す反応がそれです。大抵、おむつを取り替えるときなど、母親（養育者）は、まだ言葉のわからない幼児に向かって何か口ずさんでいるはずです。「はいお待ちどうさま、おしっこでおしりきもちわるいわねえ。いま取り替えてあげますからね。ほら、気持ちいいでしょ。ほら、ごきげんさんね」

　これに対し幼児は、どんな反応を示すでしょうか。普通、母親（養育者）の顔を見あげ、口もとに目を注ぎながら、「あ～あ～」などと言葉にならない音声を発しています。そしてこの反応は、母親の言葉かけが終わった瞬間に発せられます。またその反応は声だけではありません。手や足をバタバタさせる反応として現れます。この手足の反応も、声と同時に現れます。つまり、母親（養育者）↓幼児↓母親という応答関係が交互に現れます。つまり、あなた↓わたし↓あなた↓わたしという動作主と受容者の交換が行われます。ここに養育者との絆を軸とする自発性の芽生えがみられます。つまり、相手のつぎは自分の番であることを知って、その役割を演じているからです。

　このコミュニケーション関係から、自己報酬のために行われる活動が現れます。それは母親に何かを伝えたいという実際上の目的で行われるコミュニケーションではなく、一定の行為を媒介して動作主と受容者の交換をやること自体が目的となるコミュニケーションです。つまり母親とのやりとりそのものを楽しむための活動です。例えば、イナイイナイバーはその典型例です。レイノルズという人にいわせれば、行為が遊びであるかどうかは、行為の内容ではなく、行為の仕方によって決まる。遊びは、何かの手段として行われるのではない。だから、その行為の結果とのかかわりをもたない。行為をどうするか自体が楽しみなのであるというわけです。

イナイイナイバーを交互にやること自体がおもしろいからやるのです。つまり自己報酬的なのです。しかしこのことは、結果的にある効果を生みます。それは、その行為を繰り返し行うことにより、コミュニケーションの構造―動作主・行為・受容者の関係―が幼児に了解されてくるということです。

このように考えると、幼児とものとのかかわりから生まれる遊びも、このコミュニケーション（養育者と幼児）の軸と無関係でないことがわかります。たしかに、誕生してから九か月位までは、幼児とモノとの接触は、まったく運動感覚的で、モノの効用性とは無関係な扱われ方をします。幼児は手あたりしだい、にぎっては口にもっていったり、たたいてつかんで投げたりします。それは意図的にやっていることではないのです。ただ幼児の触覚と外界とが接触しているにすぎません。

しかし九か月を過ぎると、養育者と幼児のコミュニケーション（言語以前の）の中に、モノの存在が介在するようになります。いいかえれば、母親（動作主）がミルク（対象）を取る（行為）という行動パターンを、幼児の前で示すようになるとともに、幼児がこの行動に注視せざるを得ない状況が生じます。こんなとき、母親は「はい、ミルク」といってミルクを注視します。幼児の目もミルクに注がれます。このようにして、モノは母子のコミュニケーションの中で、コトバを伴うものとして現れます。と同時に、こうしたコミュニケーションが繰り返されることで、幼児は、「ミルクは飲むもの」というように、モノの効用性を知り、それに沿ったモノの扱い方を獲得していくのです。

こうした傾向は、十二か月～十五か月位になるまでに確立していきます。すなわち、手にふれるものは何でも口にもっていくという状態がなくなり、モノを目で追い、それをさわったりたたいたりする探索行動が続いたあと、食器などのオモチャを日常的な使い方で扱うようになります。例えば、スプーンを口に運ぶ、カップから飲む、人形を抱く等です。こうした行動は見た目には幼児が一人でやっているのですから、一人で幼児がモノとかかわりながら獲得したようにみえますが、実は違うのです。前述のミルクの例のように、養育者（母親）と幼児との間のコミュニケーションの中で現れた動作主―動作―動作対象の関係を、養育者と幼児が共同で注視した結果なのです。つまり、母親の動作対象や動作を見てまねた結果、食器などを大人と同じように扱うようになるのです。

　幼児の自発性の芽生えを、養育者と幼児のコミュニケーションという関係軸でとらえますと、幼児が人形を抱いたり、スプーンやカップを使って口にもっていったりすることを自分だけでやることは、それによって水を飲んだり、ジュースを飲んだりするという実際の結果がもたらされないので、遊びだということになります。なぜなら、幼児はレイノルズのいったように、ジュースが飲めるという結果と無関係に、スプーンやカップで飲むという動作自体を自発的に、自己報酬的に（たのしみで）やっているといえるからです。

㈡　集団の中での自発性

　幼児が三歳になると、集団的なかかわりが頻繁になってきます。パーテンの遊びの発達についての分類においても、三歳は、平行遊びと同じような活動はするが、お互いにかかわり合わない状態から連合遊び（他児とともに同じ活動に従事する遊び）への移行が多くみられます。高橋たまきらの発達上の分類でも、三歳は、接近（他者に近づいて他者のそばで独り遊びをする）から、接触（他者のそばで同じ行動をする、他者に物を渡す、奪う、話しかける）が増加する時期ですが、その意味で、三歳児前後を境にして、遊びが成立する社会的条件が変わっていくと考えるべきでしょう。

すなわち、三歳以前では、養育者と幼児という関係軸（コミュニケーションやモノのやりとり）の中での自発性、自己活動性を遊びの芽生えととらえたのです。しかし三歳児以後は、幼児の帰属する子ども集団（ただし、この集団はインフォーマルなもので、多くが考えるような意図的な組織集団ではありません。）の中での自発性、自己活動性を遊びの芽生えと考えるべきだと思うのです。もちろん、こうした変化は急激におこるものではありません。一見、急激にこの変化がおこるようにみえるのは、三歳以降の幼児の遊びが幼稚園や保育者という集団保育施設での幼児の遊びの姿を頭に描くからにほかなりません。

たしかに四歳後半や五歳児の遊びの場合、彼らの自発性、自己活動性は、集団遊びにおけるリーダーシップを基準にして測られることが多いのです。例えば、その活動に興味をもち熱中することで他のメンバーのモデルになり得ている、仲間の興味をひくアイディアをどしどし出す、仲間のおのおのの要素を調整する力をもつ、仲間の役割や要素を遊びの進行に上手に使うことができるなどです。

しかし、三歳未満まで考えられた幼児の自発性、自己活動性の基準となっていた、養育者と幼児の関係軸から、一挙に集団の中でのリーダーシップといったものが成立するわけではありません。問題はこの移行をどう考え説明するかです。

そこでこのシリーズでは、これまでの遊び論の諸説を検討の上、次のように考えることにしました。前に述べたように、幼児の遊びは、いたずらに何かをやってみたり、行き当たりばったりで行われる行動ではありません。幼児は自分が自発的に自分で試みたいことを見つけなければならないのです。つまり、遊ぶためには、遊びたいことの中身を、遊びの前に日常生活の中で、見つけなければならないのです（注視行動）。そしてその注視行動の対象は、はじめは自分が一番頻繁にコミュニケーション行動をしている養育者なのです。養育者はその意味で最も有力な遊びの情報源なのです。と同時にイナイイナイバーのように、そこでの関係そのものが、遊び活動を成立させる場でもあります。

単一の養育者と幼児との間で成立したこのようなコミュニケーションの行動パターンは、やがて他の養育者と幼児とのコミュニケーションパターンにも転移されていきます。具体的にいえば、お母さんと幼児とのやりとりは、保育所の保母さんと幼児、お父さんと幼児、お姉さんやお兄さんと幼児のコミュニケーションとしても成立するようになっていきます。いいかえれば、幼児をとりまく大人とのコミュニケーションは、しだいに幼児を中心として母親とのコミュニケーションを中核に扇形に拡大されていき、幼児をとりまく、どの人間とのかかわりにも広がっていく可能性をもつのです。

ではどうしてこのようなことが可能なのでしょうか。一つの条件は母親との関係が情緒的に安定していることです。そういう幼児は、その関係を土台として、他の身近な大人たち、父親、保育者、兄弟とも安定した関係をつくれるからです。ブルーナーによれば、母子関係の安定した（親から愛されていると感じている）子どもと、そうでない子どもが、病院に入院して長期療養する場合、前者の方が病院生活によりよく適応できるというのです。たしかに最初は、母親と別れるのをいやがり一時的に不安定になります。しかしやがて、より早く、母親の代用ともいうべき信頼すべき大人を見つけ、安定した関係をつくる能力をその幼児はもっているというのです。しかし、後者は、いつまでも情緒不安定のままでいることが多いのです。

つぎに、もう一つの条件は、母親との関係の中で、コミュニケーション行動を繰り返すことで、基準となるコミュニケーション行動を確立しているから、それを母親との関係以外にも適用できるということなのです。これは決してワンパターンの適用という意味ではなく、むしろその逆なのです。例えば、イナイイナイバーで考えてみましょう。はじめは、お母さん（動作主）―イナイイナイバー（動作）―幼児（受容者）、つぎに、幼児（動作主）―イナイイナイバー（動作）―母親（受容者）と、こうした繰り返しをはてしなくやるうちに、幼児は、動作、動作主、受容者の関係を分離して使えるようになります。つまり、この関係を相手を替えて、組み替えてだれにでも使えるようになるのです。これは、ワンパターンを繰り返しているのではなく、このイナイイナイバーの動作の構造を幼児が認識できるようになったから、だれとでもやれるのです。それはちょうど、言葉の規則を身につけるようになったことで、だれとでも、どこでも話ができるようになることと似ています。

以上のように、幼児とかかわる大人たちとの関係軸がしだいに広がっていくということは、幼児が状況に応じて、適用できるコミュニケーション手段を身につけてきたということでもあります。このことは、幼児の観察学習（見てまねる）対象が拡大したことを意味します。ということは、母親や保育者をびっくりさせるような行動を幼児がいつの間にか身につけているということにもなります。

しかし、幼児にとって同世代の集団に参加するということは決して容易ではありません。養育者と幼児との関係軸の中での自発性や自己活動が、どのように集団の中での自発性や自己活動へと発展していくかを考えるために、先にあげたパーテンの遊びの発達上の分類を検討してみましょう。

まずパーテンはひとり遊びをあげています。これはひとりでいろいろなものをさわったり、いじったりすることですが、すでに考察したように、モノの扱い方がモノの道具性に合っているならば（例、コーヒーカップは飲むものとして使う）、養育者と幼児との関係軸の中で展開された共同行動を幼児がひとりだけで再現していることになります。いいかえれば、養育者との関係で情緒的に安定しているからこそ、この幼児は、そこで現れたモノとのかかわりを繰り返して遊んでいることになります。ですからこの段階では、まだ集団は幼児には関係ないのです。

パーテンがあげたつぎの段階は、傍観者遊びです。これは遊びにかかわらず、それを注目している状態です。いったいなぜ幼児は他の幼児の遊びに注目するのでしょうか。理由は二つ考えられます。一つは幼児自身がその他の幼児が取り組んでいる活動について何らかの経験がある場合です。例えば、母親と公園にいったときにその遊びをしたか、あるいは見たことがある場合です。もう一つは、注目している他の幼児と遊んだ経験があり、その幼児との間に親しみの感情を抱いている場合です。

ではなぜ、幼児はその遊びに加わらないのでしょうか。その理由は、その他の幼児たちの集団に参加することに、情緒的な不安があるからだと考えられます。知的関心としては、他の幼児の活動に注目しても、情緒の面ではまだついていけないのだと思われます。

しかし、そのつぎの段階の平行遊び（他の幼児と類似した活動はするが、直接のかかわりはない）のレベルになると、幼児の行動はすでに情緒の面で他の幼児と安定した関係に入っているのです。ですから、同じ活動の場を共有しているのです。そして活動それ自体はその幼児にとってすでに知っている活動の繰り返し（遊び）なのです。ですから、遊び場面は共有しても、活動自体について話し合う必要性はないのです。この状態がさらに進むと、私が井戸端会議的共同行動とよんだ状況が現れます。例えば、幼児それぞれが自分の制作活動をしながら、おしゃべりはその制作とはまったく関係のない内容（例、パパとどこかへ行ったといったこと）なのです。でも、そのとりとめのないおしゃべりが、同じ場所で同じ作業をする幼児たちにとって情緒を安定させる働きをしているのです。

そして次の連合遊び（他の幼児といっしょに同じような活動をする遊び）になると、他の幼児との間に交渉が成立します。しかしこの場合、まだ交渉相手、つまりコミュニケーションの相手は一人とか二人と限定され、多くの幼児と随時コミュニケーションが成立するというわけにはいかないのです。こうした関係が成立するのは、協同遊び、あるいは組織化された遊びの段階です。このレベルになると、他の幼児のだれとも随時、目的に合わせてコミュニケーションが成立するのです。つまり皆んなでいっしょに相談して遊びが進められるのです。

このように見てくると、幼児の集団への参加、そして集団の中での遊びは、三歳前後から五、六歳までにゆっくりと進行するのです。三歳～五歳児の遊びの発達を支えているこうしたコミュニケーションの軸や集団の雰囲気が、幼児の行動の自由を保障するうえでとても大切なものになります。保育者の役割も当然、多様化してきます。三歳未満では、また幼児一人ひとりとの個人的かかわりで、コミュニケーションの成立をはかるよう援助しますが、四、五、六歳になるにつれて、集団的な動きをどう助成していくかという視点が加わってきます。それも、集団を意図的働きかけでひっぱるといった役割ではなく、幼児自身の集団を見つめ、そこでの幼児相互のコミュニケーションと、集団の統一された目的がどのようにかかわっているのか、また幼児たち一人ひとりの集団の中での情緒的帰属感や安定感はどうかなどをみきわめ、適切な援助をする必要が生じてきます。

このシリーズは、右に述べたような遊びの発達のとらえによって、遊びが育つ保育実践のあり方を追求することにしました。幼児の遊びの発達のすじ道を幼児をとりまく状況の中でおさえながら、一つ一つの遊びに対する援助のあり方を保育者が探索していってほしいのです。

(東京都・東京学芸大学　小川博久)

第一章　生活のリズムと遊び

㈠ 生活習慣の自立と遊びへのレディネス

幼稚園での生活のしかたは個人差が大きく、身の回りのものの始末、排泄、食事、衣服の着脱、片づけ等を身につけていくしかたは、幼児によっていろいろです。そして、このことは、幼児が遊びを進めていくうえで大切な意味をもっています。ここでは、二名の幼児の排泄、衣服の着脱、身の回りの始末、片づけ等のようすについて時期を追ってみてみます。

二名の幼児を、それぞれA男、B男とします。A男は、欲求・要求の表し方が積極的で、それを一方的に通そうとする傾向の強い幼児であり、B男は、欲求・要求の表し方が消極的で、保育者の指示に従うことが多い傾向の幼児です。

実践事例 ①

排泄 ①

―A男の姿から―

五月上旬

A男は、粘土で遊んでいます。降園まぎわ保育者が学級の全員に「トイレに行きましょう」と促しますが、だまって粘土での遊びを続けています。保育者に「Aくーん」と呼ばれると、A男は保育者の方を見て走って行き、そこに並んでいた他の幼児の後に並びます。他の幼児の後について廊下を歩き、便所の前まで行きます。先の幼児が排泄している間、自分の前にいたS子とふざけています。保育者に「A君、どうぞ」といわれると、便器の前まで走りズボンとパンツをいっしょに持って下げます。途中からズボンだけをひざまで下げ、パンツの前を少し下げて排泄します。排泄がすむと、ズボンをパンツのところまで引き上げ、ズボンとパンツをいっしょに持って腰まで上げます。

流しの前に行き、蛇口をひねって勢いよく水が出るのを見て、隣で手を洗っていたH男に顔を向けて「ムー、ワー」といいます。備えつけの石けんを手に取り両手をこすり合わせます。泡が出ると両手を開き「ワー」といって、泡のついた手をH男の顔の前に持っていきます。両手を蛇口の下に持っていき、石けんが流れるのを見ます。手で蛇口を押さえると水があたりに飛び、それを口を開けてうれしそうに見ます。少しすると、ぬれた手を振り回しながら廊下を走って行きます。

○この姿から、A男は、保育者の幼児全員に対する指示は自分のこととしてはっきりと受け止めないが、自分の名前をいわれると、保育者の言葉を受け止めて行動すると考えられます。排泄は自分なりのしかたで一人でしていますが、手洗い後、ぬれた手をふくことまでは関心がないようです。排泄をする一連の過程において、水、石けん等の興味のあることに自らかかわり楽しみます。

実践事例②

衣服の着脱

五月上旬

A男は、降園の準備をしています。脱いでいた園児服を肩に掛け、袖に腕を通そうとしますが、通りません。保育者の方を見て「やって、やってぇ、できないの」と大きな声でいいます。保育者が他の幼児にかかわっていると、保育者を見ながら「これー、キャー、できなあい」とさらに大声で叫びます。他の幼児の世話を終えた保育者が来て、A男の園児服を持ち、「スーパーマンにしてここ持って」と持つところを知らせると、一人で園児服を肩に掛けます。しかし、腕を通そうとしても通らずしだいに泣き顔になります。保育者が他の幼児にかかわりながら「泣かないの」というと、A男は泣きそうな顔のままじっとしています。保育者が来て袖に腕を通してもらうと元の顔に戻り、歩いて入り口近くの机のところに行きます。机上に一冊の本があるのを見て開き、またすぐに閉じます。園児服のボタンに手をかけ、一つずれた状態でボタンをとめ、残った一個のボタンを見てべそをかきながら「ああ、ああ、できない」といって保育者の方へ歩いて行きます。保育者がA男のそばに来て「ああ惜しかったね、ボタンが」といってずれてとめたボタンをはずすと、A男はボタンに手をやり「ああ、ああ、できない」といいながら一人でボタンをとめます。さきほどの絵本のところに戻り、表紙をじっと見ています。保育者に「お帰りよ」といわれると、かばんを取りに行き、続けてタオル掛けにかけてあるタオルとコップをかばんに突っ込みます。
○この姿から、A男は、できないところは保育者に依存し、保育者が自分を援助してくれるまで言葉や動作で要求を表すと思われます。A男は、手先の機能が十分発達していないことや、やり方がわからないために、園児服を着ることや、ボタンをかけることなどが、一人でできないようです。保育者が身近にきて、声をかけてくれたり手を差し伸べてくれたりすると、安心して行動できると考えられます。

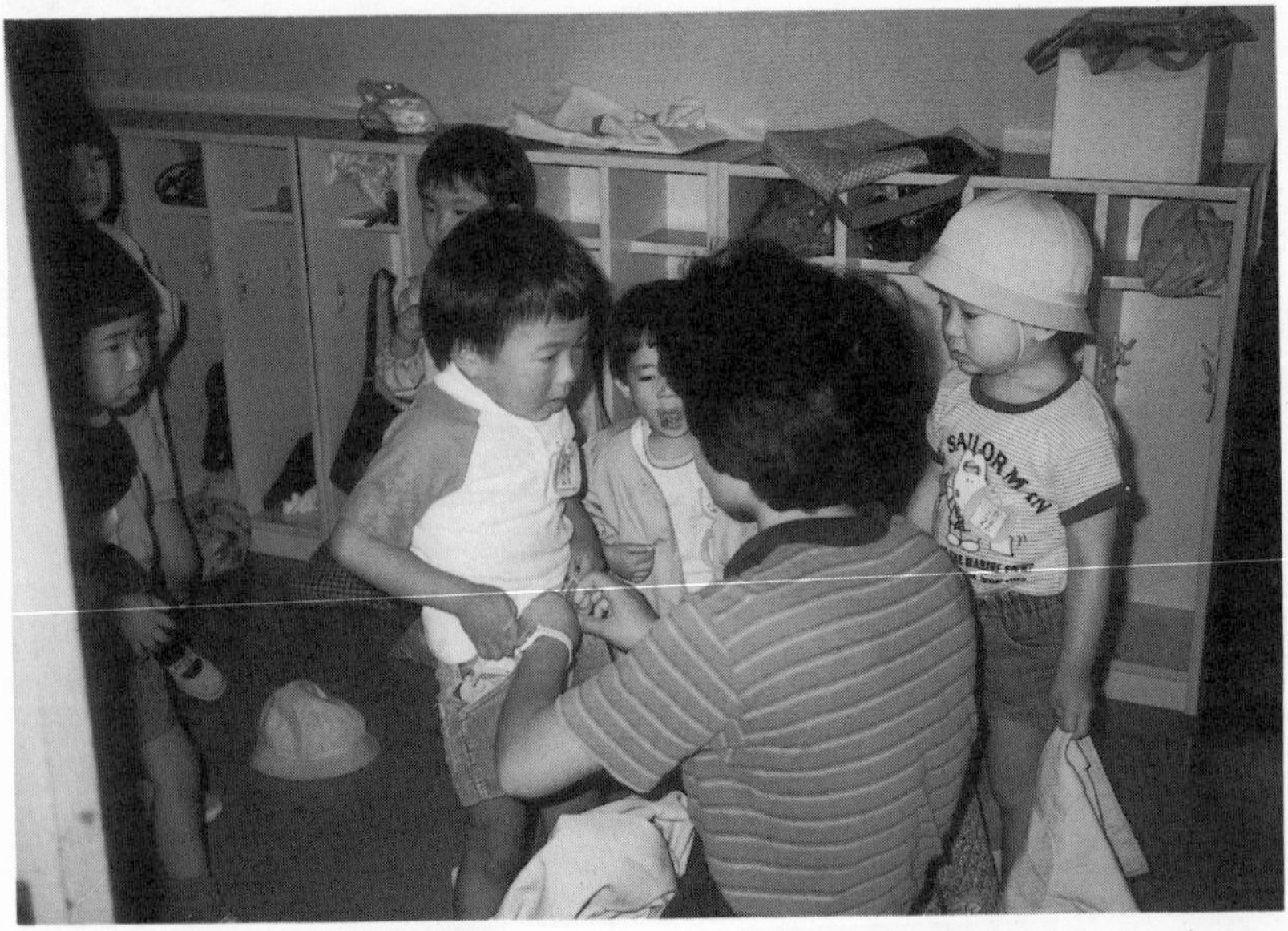

実践事例③

片づけ①

六月上旬

保育者が学級の幼児全員に片づけを促しますが、A男は、室内に設定された巧技台のすべり面に寝そべったまま、マジックで紙に絵をかき続けています。しばらくしてやめると、床に落ちていた電車を拾い、O男と何かいい合いを始めます。O男が保育者に「A君がぶつ」というので、保育者が来て「電車は固いからこれでぶったらおけがする、電車もかわいそう」といわれます。すると、電車を床に落とし、保育室内をうろうろし始めます。保育者に「電車片づけて」といわれると、電車を拾って机上に置きますが、また巧技台に乗って遊び始めます。

○この姿から、A男は、片づけの指示があっても、まだやりかけのことがあると、それをしたいと思っていると思われます。周りの気配を感じとると自分も動こうとしますが、具体的に何をどのようにしてよいのかわからないでいるようです。保育者からの具体的な指示があれば、従っています。

実践事例④

身の回りの始末

六月下旬

A男は、玄関で保育者を見ると「先生、お手紙」といって、かばんから手紙を出して渡します。手紙を受け取った保育者が「ごあいさつ」というと、笑みを浮かべてあいさつをします。外靴を脱いで靴箱に入れ、上靴を手に持ってロッカーの前まで歩き、そこで靴のかかとに指を入れてきちんと上靴をはきます。帽子を脱ぎ、手に持ったままで、肩のかばんを下ろしてほうるようにしてロッカーに入れます。そばに来た保育者に、「ねぇ、ねぇ、あの人は?」と聞き、保育者に「あの人ってだれ」といわれると、自分の帽子をS子のロッカーに入れ「この人」と答えます。「ああ、S子ちゃんね。来ると思うよ」と保育者がいうのを聞くと、S子のロッカーに入れた帽子を取って自分のロッカーにほうります。保育者に

「帽子、くちゃ、くちゃになっちゃうよ」といわれると、きちんと置き替えます。
○この姿から、A男は、興味のあることや家から持ってきた手紙など、気になることがあると、挨拶や所持品の始末等がおろそかにもなりますが、保育者に受け答えしてもらうことで安心して行動していると思われます。保育者の間接的な指示も受け入れています。

実践事例⑤

排泄②

九月下旬

A男は、はだしで遊んでおり、そのまま走って便所へ行きます。便器の前に立ってズボンの前の方をパンツといっしょに少しだけ下げ、排泄します。排泄しながら頭を動かして周りを見、排泄がすむとズボンとパンツをいっしょに上げながら走って廊下へ出ようとします。そこに保育者が来て「手、洗ってないよ」といわれますが、そのまま進もうとします。胸の部分に保育者の手が当てられると、後ろを向いて水道のところに戻り、蛇口をひねり、水と石けんを両手につけます。すぐに水で流して水を止めると、走りながらぬれた手の甲をズボンのおしりに当て、数回軽くたたくようにします。
○この姿から、A男は、実際、見た目には手が汚れているわけではないので、手洗いの必要を感じていないと思われます。遊びへの興味が強く、早く遊びたいと思っているようです。保育者の意図を感じて手を洗ってはいますが、遊びへの興味の強さからいい加減になっているようです。

実践事例⑥

片づけ②

十一月中旬

A男は、保育者から片づけの指示があると、椅子を片づけようとして持つがO男に取られ、じっとO男を見ています。Y男とT男に、「片づけんの」といわれ、Y男、T男の方を見ます。Y男に「ほうきでやるんだもん」といわれますが、近くの積み木に腰かけて保育室の中央を見ています。少しすると、ほうきが掛けてあるところへ行ってほうきを持ち、他の子どもがごみを掃いているところへ行きます。ほうきで掃き始めたとき、Y男の持っていたほうきがA男の目に当たり声をあげて泣きだします。O男に「男だから泣かないの」といわれますが、泣き続けています。保育者が来て「痛かったのよ。男の子だって泣きたいときあるよね」というと、声を出すのを止め、泣き顔のまま絵本棚のところへ行って絵本を見ます。少しすると、ごみが集められたところへ行き、ほうきを振り回したり、ごみを隅に寄せたりしますが、その後は、ほうきを肩にかついで歩きだします。

○この姿から、A男は、Y男やT男にほうきを使って片づけるということをいわれて自分もしようとしますが、使い方がわからないように思われます。A男は、自分の気持ちが友達に受け入れられないときでも、保育者が受け入れてくれると安心し、自分の気持ちを和らげていっているようです。

実践事例⑦

排泄

―B男の姿から―

五月上旬

B男は、降園まぎわ、保育者のそばに行ってもじもじしながら、「先生、おしっこしたい」と小さい声でつぶやくようにいいます。保育者から「行ってらっしゃい」といわれると、走って便所に行きます。便器の前に立ってズボンを下げ、続けてパンツの前の部分のみを下げて排泄し、すぐにズボンを引き上げます。排泄がすむと保育室に戻り、流しで手を洗い、そばのタオルかけにかけてあった自分のタオルで手をふきます。両手の指を合わせて周りを見回します。他の子どもが園児服を着たり、かばんを持っていたりするのを見ると、ロッカーの前に行き、一人で園児服を着てボタンをかけ、通園帽をきちんとかぶります。

○この姿からB男は、排泄したいときは保育者にいわなくてはいけないと思っているようです。排泄の欲求をやっとの思いで保育者に話していますが、排泄および排泄後の手洗い、手ふき等が一人で速やかにできるので、話した後は安心して行動していると思われます。

実践事例⑧

身の回りの始末

五月上旬

B男は、登園してきて玄関に入り、履いていた外靴を脱いで両方そろえて持ち、靴箱から上靴を取り出して外靴を入れます。靴箱に手をのせ、体を支えるようにして上靴を履きます。上靴のかかとをつぶ

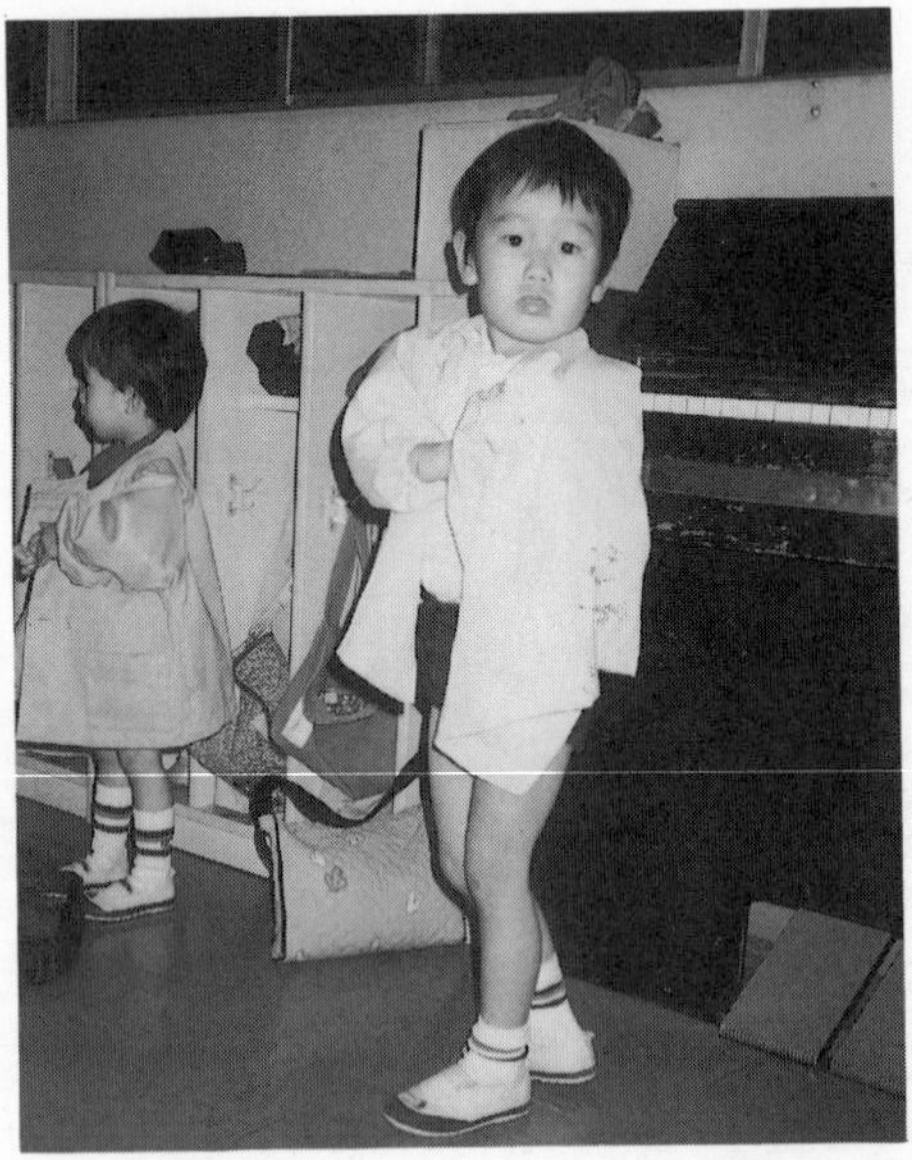

したまま歩きだし、歩きながら左足の靴をきちんと履きます。ロッカーの前に来ると帽子を脱いでロッカーに入れ、右足のかかとを直して靴をきちんと履き直します。肩のかばんを下ろしてロッカーに置き、かばんの中からコップとタオルを取り出します。コップとタオルを持ち、先に来て遊び始めた他の子どものようすをちらちら見ながらタオル掛けのところに行きます。タオル掛けにコップ、タオルを掛け、ロッカーのところに戻り、園児服を脱いでロッカーについているフックに掛けます。

○この姿から、B男は、登園後の一連の行動（外靴と上靴の履き替え、帽子、かばん、タオル、コップ、園児服の始末等）を一人で円滑にしていると思われます。また、身の回りの始末をしながら他の子どもが遊んでいるところも気にかけているようです。

実践事例⑨

片づけ①

六月上旬

B男は、保育者から片づけの指示があると、Bブロックの箱を持って床の上のBブロックを拾っては箱に入れます。H男がBブロックを持ってくると受け取って箱に入れます。ピアノのところに歩いて行き、そこに落ちていたBブロックを五〜六個拾って重ねて箱に入れます。保育者に「B君、隅の方までじょうずね」とほめられると、保育者を追いかけて行き「ピアノの下にブロック入っちゃった」といいます。Y男がほうきを持ってピアノの方へ行くのを見ると、ほうきを持ってY男のところへ行きます。Y男といっしょにピアノの前に寝そべって、ピアノの下にほうきを入れて横に動かします。Bブロックが出てくると「とれた、これだぁ」といって立ちあがり、「先生、とれた」と保育者のところへ持って行きます。保育者が「はい」といって受け取った後、Y男の顔を見ながら「よかったなぁ、よかったなぁ」

と繰り返しいいます。その後、またピアノの前に腹ばいになって保育者といっしょにBブロックを取ります。

○この姿から、B男は、保育者の指示があるとすばやく指示に従って行動しているといえます。片づけながら保育者にほめられるのがうれしく、ほめられることによりさらに進んで片づけようとしているようです。自分なりに考えて片づけたうれしい気持ちを、保育者や他の幼児に言葉で表しています。

実践事例⑩

片づけ②

十月上旬

B男は、戸外での遊びを終えて保育室に戻ります。他の幼児が遊具の片づけをしているのを見ると、まごと用のうば車にBブロックや絵本を入れて運びます。絵本棚の前に行ってうば車から出した絵本を並べ、Bブロックは箱の中に入れます。J子といっ

しょにごみ箱を押して歩き、ごみを見つけると「そこにごみがあるよ」とJ子にいいます。保育者が片づけをしないY子に片づけを促すと、保育者を見て「お片づけしているよ」と自分のことをいいます。

○この姿から、B男は、片づけの方法、場所がわかっており、自分なりのしかたで進んで片づけをしていると思われます。保育者が他の子どもに促した片づけの言葉を聞くと、自分は片づけていると、承認の欲求を表しています。

以上、A男とB男、欲求・要求の表し方の異なる二名の幼児の観察を通して、生活習慣に関する事がらの形成のしかたはいろいろであるといえます。

A男は、生活習慣に関する活動をしながら、興味のあることに出会うとそのことにかかわることが多いため、興味をもって始めたことでも保育者の指示を受けて中断するようになります。友達としての意識が出てくるころになると、周りの幼児からもそれらのことを指摘されて葛藤の体験が増えるようです。

しかし、A男は、できないところを保育者に依存し、保育者の温かさを感じながらこれらのことを徐々に身につけていっています。

B男は、生活習慣が自立しており、一人できちんとするので、周りのことにも目を向けしっかりと体得していきます。片づけの方法、手順もわかり進んでするので、そのことで快い気分を味わい、自信をもって本来の自分を表しながら行動し、他の子どもにも積極的に働きかけていくようです。保育者に認められることもその基盤になっているようです。

したがって、三歳児にとって、生活習慣の形成いかんは、したい遊びをするうえで大きな影響を及ぼすといえます。

（東京都・千代田区立番町幼稚園　塚本美知子）

㈡　幼児の生活のリズムと遊びとのかかわり

園での生活のリズムは、保育者と幼児が互いにかかわり合いながら作りあげていくことが大切であり、遊びの中で基本的な生活習慣を身につけていくものだと考えます。あいさつから始まり、遊びの中の応答、衣服の着脱、片づけ、お弁当等々、自分でやっていかなければならないことが多くあり、保育者や友達のすることを見て、実体験を通して身につけていきます。遊びの中でトラブルが生ずると幼児の心は乱れ、次の日の登園をいやがります。また、三歳児は特に、入園当初の生活のリズムが大きく変わり、どの幼児も不安がかくしきれません。

その反面、

○新しい遊具がいっぱいある所
○いろんな友達がいっぱいいる所
○母親のようなやさしい先生がいる所

と期待を持って登園してきます。

実践事例⑪

A子の登園拒否

〈実態〉

A子は、入園当初、B子といっしょに手をとり合って元気に登園し、つねにB子との遊びを楽しんでいました。B子とならよく話をしたり、笑ったり、怒ったりもしています。親たちも、二人は大の仲よしと思っています。保育者も、よく遊んでいるので問題ないと思っていました。

ところが、A子は靴箱のところで母親にしがみつき、上靴を履こうとしません。きのうもぐずっていたので、担任とB子が迎えに来ましたが、泣くばかりです。そこで主任がA子を抱きあげ、母親には、早めに迎えに来るよう話して帰ってもらいました。

A子の気持ちを落ち着かせるために、幼児が遊んでいる園庭を通り職員室へ行きました。職員室へ入るころには泣きやみ、応接室のソファにかけ、主任が出したクレヨンで絵をかき始めました。絵はウサギの絵です。それをきっかけにA子の心を和らげるように話しかけていきました。

保育者　「ウサギちゃんかわいいわね」

A　子　「わたし、ウサギちゃん好きなの」

保育者　「どうして」

A　子　「だって耳が動くんだもん。これお母さん、これお兄ちゃん……」

保育者　「なかよしのウサギちゃんね」

（少し気持ちが落ち着いたところで）

保育者　「幼稚園のウサギちゃんは、どうしているかしら。見に行ってきましょう」

と誘い、手をとって園庭へ出ました。

A子は、友達の遊んでいるのを見ながらウサギ小屋へ行きます。いっしょにえさをやりながら話していると、ふと自分が帽子やカバンを始末していないことに気づきました。

A　子　「これ置いてくるね」

と自分で行動を始めたので後からついていきました。

保育者　「A子ちゃんおかえりなさい。ウサギちゃんにごはんあげてくれてありがとう」

とやさしく受け止めてくれました。

A子はやっと安心して自分のロッカーへ行き、所持品の始末をし、すべり台で遊ぶことができました。B子といっしょに遊んでいましたが、自分の遊びたい遊びを見つけて行動する姿が見られるようになってきました。

〈考察〉

○担任は、A子との信頼関係を気にするあまり保育室へ泣くA子を連れて行こうとするが、全体の幼児が不安になるので、手の空いている保育者にお願いした。

○A子をまかされた保育者は、幼児の心が落ち着いてきたとき、担任の方へ気を向けるようにし、A子の行動を認めてやりながら、次の遊びへと誘導する。

四月二十八日、仲よしのB子とのトラブル。

Ａ子がすべり台をしていると、Ｂ子がＡ子のところへ来て順番を先取りしようとしました。いつもだと、Ａ子はだまって許してやったのですが、今日は、「うん、うん」といってＢ子を押しのけようと力を出してがんばっています。

Ａ子の目は、保育者に助けを求めているようすです。保育者も「がんばれ」というまなざしでＡ子を応援しています。Ｂ子もＡ子を「うん、うん」といって押しのけて「順番、順番」といってすべっていきました。

保育者　「Ｂ子ちゃん、順番っていうのは、先に来た人を押しのけるのではないのよ。先に来た人の後に並んでやることなの。Ａ子ちゃん、あんなに悲しい顔しているわよ。Ａ子ちゃんも〝だめよ〟っていってあげてね」

とＢ子をひざに乗せてゆっくりと話してやります。

Ｂ　子　「うん、うん」

と話を聞いていました。

その件が終わると、Ａ子は一人で年中組へ遊びに行こうとしました。Ｂ子がＡ子の手を引っぱって

Ｂ　子　「Ａ子ちゃん行かないで、こっちで遊ぼう」

と強く手を引っぱっています。

保育者　「Ａ子ちゃんは年中組へ行きたいのよね」

と援助してやります。

保育者　「Ｂ子ちゃんもいっしょに行って遊んでいらっしゃい」

というと、首を横に振って保育室へ行き、Ｄ子がいるままごとで遊び始めました。保育者も、Ａ子が年中組で遊んでいる姿を見てから、Ｂ子の気持ちを察して、Ｂ子のままごと遊びへ入れてもらうよう援助しました。

〈考察〉

○Ａ子の朝の大泣きは、Ｂ子から独立しようとする心の葛藤のように思える。

○Ａ子が、Ｂ子以外の友達に関心を向け始めた。その気持ちを大切にするよう配慮していく。

○よく遊んでいたＢ子は、実は依頼心が強く、Ａ子といっしょなら元気に遊べるということを知った。じっくりと一人で遊びができない幼児であった。

○Ｂ子の気持ちも十分に考慮に入れ、教師がかかわりながら、自分の遊びが十分にできるよう援助する必要がある。

実践事例⑫

楽しく遊んだ後の片づけ

H男　「O君、砂場やろうぜ」
O男　「うん、やろう」
と砂場へ行く。それを聞いた他の幼児もいっしょに行く。保育者も、「いっしょに入れてね」といって、遊ぶことにする。

三歳児の砂遊びは、いっしょの場所で、同じ遊具を使って遊ぶことで満足できるようです。三学期くらいになると、少しずつイメージを共有しながら会話を楽しんでいます。

ひたすら砂を掘る幼児、バケツに水を入れてこねまわす幼児、容器を並べて砂を入れて楽しむ幼児、保育者にごちそうすることを楽しむ幼児と、さまざまです。楽しく遊んだ後、保育者は後片づけの言葉がけを考えています。

O　男　「先生、サラダだよ。食べて」
保育者　「ああ、おなかすいてきたところだったの。おいしいサラダ、いただきます。ああ、おいしかった。みんなもおなかすいたでしょう。みんなもいっしょに食べてみない。おいしいわよ」

他の幼児も集まってきて、食べるまねっこをしています。

保育者　「ほんとうにおなかすいちゃったね。早く片づけてお弁当にしましょう。おもちゃを洗ったら、お家に入れてね」

H男　「これどこへ片づけんだ」
S男　「どっちかな、さがしてくるよ」
H男　「あっ、じょうろ違っているぞ。あっちなのに」
S男　「うん」
といってだれかがまちがえたじょうろを片づけていました。

片づけた後は、どろんこになった洋服の着替えです。汗をかいたり、汚れたときは、めんどうがらずに着替えをさせます。そのためか、砂遊びの後は、じょうずに着替えることができるようになりました。ただ、後ろ前に着たり、靴下のはき方がわからなくなる幼児もいます。

〈考察〉

○片づけのタイミングがうまくいった。
○遊具の入れ物は、標示をはっきりした。
○片づけの時間や洋服の着脱には十分時間をとり、早く早くと急がせないようにした。
○家庭と連絡をとり、着替えを一式用意し、十分に遊びが楽しめるように配慮している。

〈生活のリズムと遊びとのかかわり〉

○入園当初は、自分の持ち物の始末や手洗い、トイレの使い方等、園生活を送るために最少限必要なことは、保育者の手をかりながらも自分でしなければなりません。（園生活のリズムを知るためにも）

○家庭での生活の過し方によって、個々ばらばらなリズムのうえに園生活のリズムを知っていきます。

○特に朝のリズムが変わってくると、一日の遊びも手につかず終わってしまうことがあり、遊びの内容によっては、A子のように登園拒否をおこしてしまいます。

○遊びに十分満足すると、片づけも早く、順序よくやり、「ああ、きれいになった」と遊んだ後をふり返っている姿があります。

〈まとめ〉

生活のリズムは、保育者と幼児がお互いにかかわり合う中で作り出していくものと考えます。三歳児は特に個人差が大きく、その幼児にあった指導助言・援助が必要であることはいうまでもありません。A子の遊びの内容が朝の大泣きとして表れ、B子からの自立だったことを意味します。B子へは、A子以

上に援助の手を差し伸べなければなりません。

片づけ等も一日のリズムの中で、段階をおって徐々に自分たちの生活の場をきれいにする気持ちを育てていくことが大切です。

そのためにも「十分に遊んで楽しかった」という実感を持たせ、「明日もやってみたいな」という気持ちにさせることが第一と考えます。基本的な生活習慣は、遊びの中でこそ、繰り返し繰り返し体験しながら身につくものと信じます。


（東京都・千代田区立小川町幼稚園　高橋みずこ）

事例コメント

生活のリズムと遊び

この世に生を受けてわずか三年数か月しか生活経験を積んでいない幼児にとっては、毎日毎日が新しい物・事がらへの出会いの連続であるといっても過言ではないでしょう。その幼児が、家庭という庇護のもとから幼稚園という未知の世界・集団へと飛び込んできたわけです。これは大きなとまどいと期待と不安の錯綜する日々であろうと思われます。

まず一番心配なことはトイレの問題ではないでしょうか。その点が解消されてはじめて集団の中で生活する自信がつき、園生活の楽しさを知ることができます。ここで事例として取り上げられているA男、B男は、まったく対照的なタイプの子どもです。この二人の行動を通し、集団生活以前の家庭生活でどう基本的生活習慣を身につけてきたか理解することができます。事例に従って各パートごとにコメントしていきたいと思います。

排泄について

「幼稚園でおしっこがしたくなったらどうしよう。お母さんは先生にいいなさいってゆうけれど……」

しかし、保育者にすぐいえる子ども、もじもじしていてなかなかいえない子ども、恥ずかしいからお家までがまんしてしまおうとする子どもなど、さまざまです。もし子どもが粗相をしてしまった場合は、決して不安感や屈辱感を与えることなく、他の子どもに気づかれないように始末することはもちろん当然のことです。それと、粗相は園での緊張感が除かれてきた証拠とみることもできるので、ある意味では喜ぶべきことです。

四、五月ころは、保育者が気を配り、ときどきクラス全体に声をかけトイレを促します。粘土で遊んでいたA男は、教師の最初の誘いかけではトイレに行きませんでしたが、「Aくーん」と自分の名前を呼ばれてトイレに走って行きました。これは入園当初の三歳児にとって保育者の「みんな」という呼びかけに対し、本人は自分が呼ばれた意識は薄いようです。それは、今まで家庭で名前を呼ばれ、母親と自分と一対一の関係で過ごしてきたからと考えられます。保育者に対しても「ぼくの先生」「わたしの先生」であって、「ぼくたちの先生」「わたしたちの先生」と理解するには、まだまだ時間がかかりそうです。こういうことをちょっと心にとめて子どもと対応するならば、子どもへの言葉のかけ方も変わってくると思います。

B男は家庭でしっかりと基本的生活習慣の自立ができています。その点、A男はトイレのすんだ後、石鹸をつけて手を洗う習慣はなかったようです。石鹸泡のついた手で友達とふざけたり、蛇口から勢いよく落ちる水圧を感じ、水しぶきを遊びにしています。しかし、これらの小さな経験が、遊びをつくり出していくきっかけや、物の性質を知る手がかりとなっていくわけですので、「トイレがすんだら石鹸で手を洗い、ハンカチかタオルで手をふく」という図式にとらわれず、柔軟性をもって指導していきたいものです。

衣服の着脱

自分で衣服の着脱を身につけないまま幼稚園という集団に入ってきたA男は、保育者が自分の要求を即受け入れてくれないのでパニックを起こしています。家庭でも「やってやって」といつも母親に着せてもらっている姿が目に浮かぶようです。子どもをかわいがり、やさしくすることは身の回りの世話をしてやることと誤解している母親がいるようです。保育者は母親に対し、基本的生活習慣の自立ができていないことは園生活のリズムに遅れてしまうようすを、本人の事例を通して理解してもらうように指導しましょう。なにごとも、家庭と協力しながら自立の方向へもっていくことが大切です。

子どもはボタンの掛け違いをよくします。指導としては、下からはめていく方法を教えるとじょうずに掛けることができます。また、襟が折れていたり、顔に何かついていたときなど、保育室に子どもの全身が写る鏡があると便利です。壁の細い空間に取り付ける簡単なもので十分なので、ぜひ各保育室に備えていただきたいものです。「ちょっと鏡を見てきてごらん」と保育者が一言声をかければ、子どもは自分の姿を写し、どこが変なのか自分で発見します。保育者は子どもに対して教えるのではなく、子ども自ら考えたり、気づいたり、つくり出したりできる環境を工夫することが大切です。

身の回りの始末

A男も、B男も、入園一、二か月で、登園後の身の回りの始末の手順はすっかり身についたようです。このころになると、今まで一日園で過ごすことに精いっぱいだったものが、園生活のリズムにも慣れ、自信がついて次のステップに進みます。それは友達です。友達の存在が気になりはじめ、友達の登園を待ったり、遊びを見たり、加わったりしながら徐々に世界を広げていきます。逆に事例⑪のA子のように、今まで仲よしであったB子から離れることにより、自分の世界を広げていくケースもあります。

片づけ

三歳児も十月ともなれば後片づけもじょうずにできるころです。入園当初保育者が片づけにどうかかわってきたかによって、片づけ方の能率やじょうず、へたが分かれます。まず最初に保育者自らが片づけ方の見本を示してやることです。「さあ、片づけましょう」といいながら片づけ始めます。すると、子どもの方から「先生、何しているの」「片づけよ」「わたしもお手伝いするね」と加わってきます。保育者は毎回同じ手順で同じ場所（位置）に遊び道具、遊具を片づけます。やがて三学期ころには「先生あっちに行って、わたしたちだけで片づけるから」というようになります。また、事例⑫でも示されているように、子どもたちは十分遊びこみ、満足した後の片づけは遊びの充実感の勢いがそのまま行動に現れ、スムーズに短時間にきれいに片づけが行われます。かえって遊び方が中途半端だと、片づけながら遊んでしまって、保育者をイライラさせてしまいます。片づけのタイミングも子どもの遊びの発展ぐあいを見て声をかけるとよいでしょう。子どもの遊びは、その日によってよく遊ぶ日、遊びがあまり発展せず小喧嘩や泣く子が目立つ日、といろいろです。遊びを切り上げて片づける時間も固定せず、小学校のように時間によって区切る保育は慎み、子どもの遊ぶ状態によって決めたいものです。

登園拒否

入園当初の登園拒否には大きく分けて二つのタイプがあります。一つは園という大きな集団に適応しがたいタイプで、もう一つは、一見適応しているかのように見え、保育者を煩わさないいわゆる〝いい子ちゃんタイプ〟の子どもが、ある日突然に緊張の糸が切れ、登園拒否を起こしてしまうタイプです。前者の中でもさらに二つあります。一つは、友達が大勢いる集団自体に圧迫感を感じ、恐怖心すら持つ子どもです。こういう子どもの場合には、まだ友達を必要とするほどまでには本人の社会性が育っていないのではないかと思われます。むりやりに集団の中に入れるより、しばらく家庭で時を過ごし、恐怖心がなくなってからでも遅くないのではないでしょうか。もう一つは、家で一番信頼している母親から引き離され、知らない人の中で一人過ごす不安によるもので、これが一般的ケースです。いずれにしろ、まず子どもの不安がどこにあるのかを保育者は知ることです。その不安を取り除くために抱いてやり、心が落ち着くまで泣きやむのをじっと待ってやります。保育室の雰囲気は家庭の延長と考え、家にあるような絵本、おもちゃ等を置いておきます。「あっ、お家にもこれあるよ」と安心するものです。母親に変わる大人がかかわることで日とともに園生活に慣れ、いやがっていた登園も解消されていきます。後者の場合は「幼稚園に行ったら、先生のいうことをよく聞いていい子にしているのよ」と母親からいい聞かされて入園してき、ひたすら〝いい子〟を演じている子どもに多いと思われます。登園後の朝のしたくもきちんとでき、遊びも遊びこむほどには遊べないが、なんとか遊んでいる。保育者は現在目の前で園をいやがり「お家へ帰りたーい」「ママー、ママー」と泣き叫んでいる子の対応に追われ、後者のような子どもに対してややもすると見落としてしまいがちです。クラス全体が落ち着き始めたころ、そういう子どもが自己主張の一つとして登園拒否を起こしてきます。「先生、こっちを向いて、わたしもいるのよ」「だっこしてちょうだい」と自分の存在を示すかのようです。かえって後者のほうが回復には時間がかかります。保育者はいつも多くのアンテナをはりめぐらし、泣いている子にかかわりつつ、一人ひとりの行動を把握し、手のかからない子どもにもきめ細かに励ましや、認めの言葉をかけ「あなたのこともちゃんと先生は見ていますよ」ということを態度で示してほしいと思います。事例⑪は後者に属するものと考えられます。ここでは登園拒否を起こした場合の対応のしかたが示されております。泣きやみ、落ち着くのを待って飼育小屋に場を移し、気分転換をはかっています。これは大変よい方法だと思います。気分転換の場所としてほかには花壇・野菜畑等がありますが、いずれも観賞・観察用ではなく、直接子どもが自分の手で自由に触ったり、摘んだり、採ったりできる場であることが必要です。

以上、A男、B男、A子の事例を通して考察してきましたが、集団への適応はそれぞれに異なっています。スムーズに園生活に入るためには、自分のことは自分でする姿勢が身についていることがまず大切であることがわかりました。それには、入園前の母親準備会の折に、基本的生活習慣の自立は集団生活のベースとなっていく大切なことであること、また、子どもに対し「いたずらしたら幼稚園に行かれません」「先生にいいつけますよ」「幼稚園ではいい子でいなさい」などと心を重くするようなプレッシャーをかけないで、逆に「いい子ね、幼稚園の先生にもお話ししておくね」「悲しかったらいっぱい泣いていいのよ」と子どもの心をリラックスさせておくよう伝えておきたいものです。

最後に、B男のように保育者の前では手がかからず何でも自分でしてしまう場合、園で一所懸命であるぶん、家庭では案外だだっ子かもしれません。本人はそうすることによりバランスをとっていると思われます。そのむね家の方にも理解してもらい、大目に見ていただくようにしましょう。

保育者は、家庭と連携しながら子どもの成長を助けると同時に、子どもから教えられ、母親たちを通して人間性を培い、子どもとともに成長するようになりたいと願うものです。

（埼玉県・埼玉純真女子短期大学　高橋照子）

(三)　三歳児のさまざまな姿

実践事例⑬

三歳児のさまざまな姿

入園して二か月半の三歳ひよこ組の子どもたち。一人でままごとや積み木で遊ぶ子、砂場に水をくんできて遊ぶ子、年中組の子とダンスをしている子、ゲームボックスや積み木、テーブルを組み合わせて二、三人で遊ぶ子など、さまざまです。子どもたちは、それぞれ持ち味を出して、自分のペースで遊んでいます。お互いの気持ちが伝わらなくて、トラブルも多いのですが、そうした経験を通しながらお互いの存在を認められるようになってきているようです。

その具体例としてひよこ組のK男の動きを紹介しながら、それぞれの子どもたちのかかわりについて考えてみたいと思います。

入園当初、母親と別れにくかったK男ですが、慣れるにつれてしだいに好奇心を発揮し始めました。高い所に上がり、飛び降り、紙を見つけると描き、自分の行く先々で、見つけたもので遊びます。保育者にも「剣作って」「持って帰ってもいい」と、言葉で積極的にかかわってきます。

けれども自分の気持ちのまま動くので、他の子どもたちの気持ちとすれちがったり、ぶつかったりして、トラブルも起こるようになりました。ままごとの取り合いをして、相手の手が口の中に入ると少しかむ子、作った「剣」で肩をたたき相手を泣かす子もいます。相手の反応にびっくりして、足をドタドタさせながら保育者に訴えにきます。

このように、トラブルも多いのですが、K男の存在は、他の子どもにとっても大きいようです。K男は好奇心が強いだけにさまざまな遊びをし、他の子どもに影響を与えているように思えるからです。例えば砂場でのことです。

K男が、砂山の上にパイプを立て、横にもパイプを差し込んで周りをかためています。縦のパイプと横のパイプはつながっていません。そこへ、B男が水を運んできます。それを受け取り、パイプの中に流し込みます。と同時に、あわてて横に差し込んであるパイプの穴をのぞき込んでいます。水を入れるたびにのぞきます。でも水はパイプから流れ出てこず、砂山がくずれてしまいました。「あーあ」といって、B男と二人で穴を掘り始めました。そこへ、そばで穴を掘っていたT男も加わってきました。水が流れ込んだ偶然がK男たちとT男の穴と気持ちをつないだように思います。T男は砂遊びをしても、水を使おうとしなかったのですが、このとき初めて服が汚れ、着替えることになりました。

また、友達に誘われても、自分のしたいことをしている姿もよく見ます。Y男が三人の子どもたちとテーブルの上にカラーボックスを載せ、その上に座り「ビックリマンの家です」といって遊んでいるところへK男が来ました。Y男が「おまえもビックリマンのお家に来る？」というが、知らん顔。K男には何かしたいことがあるようです。見ているとダンボールの所へ行き、中に入っている空箱を全部出しセロテープでとめ始めます。一か所しかとめてないようなので、持ち上げるとバラバラになってしまいます。そうするとまた作り始めます。箱を載せると「これ新幹線よ、すごいでしょ」と、保育者に見せに行きます。どうやら彼はつなぐことに興味を持ったようです。

反対に自分から誘うときもあります。

K男が棒に糸をセロテープでつけて「魚つりをする」といって、カラーボックスをテーブルの上に置いて魚の家作りをしています。「おい、魚つり（糸のついた棒のこと）持ったらあがっていいぞ」というと、近くにいたY男たち三人が箱遊びを中断して魚つりを作り、カラーボックスの上にあがっていきました。しかし、上にあがってもいっしょに遊ぶのでもありません。K男は、彼らと入れかわりに、まもなく外に出て行きました。

Y男は、K男に関心があるようです。いっしょに遊びたくて誘いますが、なかなかタイミングが合いません。またK男もY男に興味があるようで、Y男の肩を棒でトントンたたいたりします。しかし、Y男はびっくりして「K男君がたたく」といって泣きだします。

Y男は、泣いて訴えることが多いのですが、すぐにケロッとして、また遊びだします。年中児や年長児が遊びに来ても、K男は遠慮することなく、自分で遊んでいますが、Y男は、部屋の隅の方で見ていて、いなくなるとすぐまねをします。

また、集団でいるように見えても、一人ひとり別々に遊んでいることが多いようです。例えば、次の電車ごっこもそうでしょう。部屋でY男とY子が「電車作るんな」「乗るんな」と話しながら、カラーボックス三個をセロテープでつないでいます。Y男が先頭のようです。そこへ、N男とS男がやってきました。N男は、いっしょに遊びたかったのでしょう。それで「よせて」と声をかけます。それに対して、Y男は何のためらいもなく答えました。「おまえのところはないよ」N男は顔をふくらましています。いっしょにいたおっとりとしたY子が「いいよ、ここ

な」といいました。Y男はそれを聞いて了解したようにいいます。「おれの友達なんぞ、いつもN君おうちにきよるんじゃけんの」
Y男は、自分が先頭にいたいために、Y子が後ろの方に「ここな」といったことで安心したのでしょう。そしてその安心が、自分の家の近くのN男は、自分の友達であるといわせたのでしょう。
Y男のしていることを見て、N男もS男もカラーボックスを持ってきて、テープでつないでいます。すると突然、Y男がカラーボックスを引っ張りました。電車の運転手のつもりだったのでしょう。しかし、重さに耐えられずテープは切れてしまいます。

Y子　「あっ、いかん、いかんのに……」

Y男　「はずれた」

Y子　「ここは中止な」

S男はだまっていました。四人でまたはりだしました。そこへH男が自分のカラーボックスを持ってきていいました。

H男　「よせて」

Y男　「せまいけんいかん」

それを聞いていたN男がいいました。

N男　「(テーブルを)のけたらええ」

そしてN男は、テーブルをのけて、H男のボックスを入れてやりました。このときもY男は、自分が中心になって電車ごっこをしている気持ちだったと思います。と同時に、N男の気持ちを否定しているわけでもないようです。

そこへ園庭から、K男が戻ってきて、しばらくそのようすを見た後「よせて」ともいわずにセロテープをはりだしました。そのときには、Y男は「いかん」とはいいませんでした。

少し後、先頭のY男が、今度は「引っ張るぞ」と声を掛けて引っ張りました。「あっ、切れた」と周りの子どもたちが口々にいいます。またみんながはりだします。だれも怒ったりもしません。これは、電車が動かないことよりもボックスとボックスを、セロテープで合わせることに興味があったからかもしれません。

K男は、離れたゲームボックスを合わせることもなく、そのままにして、セロテープを長く切って、つなぎ始めました。それを見て、他の子どもも同じようにしています。しかし、それをしながらまったく別の話をしています。
Y男　「きょう、K君のところに行くけんのう」
K男　「いいよ」
A男　「おれも行くぞ」
Y男　「きのう行ったか」
A男　「行ってない」
Y男　「おんなじじゃあな」

Y男は、電車をイメージしてボックスを動かし、セロテープをはずしてしまいます。しかし、他の子どもは、またテープでつなぐことに関心があったようです。それぞれ別のことに関心があるからけんかにもならなかったのでしょう。またこの会話は、家に帰ってからのお母さんどうしの関係や、近所の仲間意識が生まれ始めていることをうかがわせてくれます。そのことが、園での友達関係にもつながり始めているのでしょう。また、いっしょに同じ遊びをしていることによって、つまり同じ場所や、時間の共有によってお互いのつながりができてくるように思います。

K男がS男のボックスにテープをはりだすと、S男が「K君のがないんじゃけんの」といいます。K男が自分のボックスを持って参加していないので、自分のボックスがなくなることが心配だったのでしょう。それを聞いていたN男は、ボックスとボックスとの間を指さして「ここがK君のじゃけんの」といいます。しかしS男には、A男のいうことがわからなかったようです。Y先生のところに「電車ごっこしてくれん」といいに行ったのです。Y先生と他のクラスからカラーボックスを持ってきて、電車にくっつけて上に座っていました。S男は、ボックスが遊びに参加する条件のように思っているのに対し、A男は、各自のスペースのあることを条件と思っていたのでしょう。

Y男は、長く張ったテープの上に片足を乗せ、動かしています。長いテープのほうに興味が移ったようです。

しばらくすると、K男がボックスを持ち上げだしました。近くにいたA男が「いかん」というと「A君壊すんじゃなくて二階にするんじゃけん」と顔を真っ赤にして上にあげています。K男は、相手の心配を察し、それを和らげようとして、自分のしている行動の意味をちゃんと説明しています。だからA

男も納得したのだと思います。

けれどもK男は、その後電車ごっこの隣で、一人で積み木と自動車で遊んでいるJ男のところに行き、「入れて」「いいよ」と了承を得ると、J男の作っている物を壊し、積み木を並べはじめました。N男たちもその積み木を、二階になったカラーボックスの上に載せています。しばらくすると、K男は「大きな船ができたよ」と、友達にいい、そして隣でM子がしていたままごと道具を「かして」といいながら積み木の上に並べていました。

このようにK男は、周りに影響を受けて遊びがつぎつぎと変化していきます。自分の周りでしている遊びに興味をもち、何でもしてみたくなるようです。

一方Y男は、画用紙を入れる引き出しを開け、Y先生の所に行き「紙ちょうだい」といい色画用紙を渡すと「白いのがいい」といっています。すると、横にいたY子も「わたしも」といい、もらった画用紙を丸めて「望遠鏡」といいながら、他のクラスへ行きました。Y男は、Y子のしていることを見ながら、ゆっくりと紙を巻いて、セロテープでとめ、ボックスの上に座り、K男の方を見ています。「白い画

用紙」とはっきり主張したY男でしたので、何か目的があると思いましたが、K男の遊んでいる姿を見ている表情からは、うかがうことができませんでした。自分が最初にしていた電車ごっこがつぎつぎと加わってきた子どもたちに知らず知らずのうちに影響され、遊びの方向が変えられたY男。何か満足できない気持ちがあるのではないかなと思いましたが、声をかけることはしませんでした。そんなときがあるのも、Y男にとって必ずしもマイナスではないと思ったことと、もう少し後のようすを見てからでもいいと思ったからです。

　また、三月生まれで、体も小柄なI男も、ひよこ組です。年長児の兄といっしょにいると落ち着き、年中の女の子の世話を喜びます。

　五月末、兄と年中の女の子三人がひよこ組に来て遊んでいたとき、I男は、自分の椅子をひっくり返して怒っています。こうしたことがあってから、兄に「もう大丈夫だから」と話をしました。登園してくると、保育者の背中にもたれたり、ゴロゴロとじゅうたんの上を転げたり、また誘うと、砂山で山を作ったりするようになり、積み木やブロックで遊び始め、兄について行くことが少なくなりました。ひよこ組の前がすぐ砂場のため、ピアノの椅子の上は、外のようすと部屋の中のようすがよく見える所です。I男はその場所がお気に入りです。そこに座り、他の子と遊んでいるようすを見ながら、自分のかかわれるところをさがしているようです。

そこへ細くて長い棒を持っているN男が通ります。I男は、N男の姿を見ています。そのうちに棒を持ってN男の後を追っかけていきました。N男に追っかけられると椅子に帰ってきます。何回も繰り返していました。N男はI男のテンポに合わせて走っているようでした。

また、集まりのとき、子どもたちが自分の椅子を持ってピアノの前に集まって座りだしました。今まで遊んでいたグループで座っています。部屋にいなかった子どもたちも帰ってきました。Y先生が座ると、I男がひざの上にちょこんと座りました。他の子たちは、その上に乗りに行くことはせず、自分たちの椅子に座っています。

I男は、クラスで一番幼いので(月齢差)、一番力がなく弱いことをそれなりに周りの子どもたちも知って、それに応じたかかわりをもっているように思います。

こうしてみると、三歳の子どもたちの興味や関心はさまざまで、子どもたちの活動は、その興味や関心によって左右され、さまざまな経験を重ねます。そうして自分の安心できる場を見つけ、同時にそれが友達とかかわっていくことにつながっていくのだと思います。そのきっかけになるものは、あるときは、遊び場やおもちゃであったり、あるときは、先生や友達であったり、またあるときは、偶然同じ場所を共有することだったりするようです。

(愛媛県・松山東雲短期大学附属幼稚園　菅田栄子)

事例コメント

三歳児のさまざまな姿

遊び

子どもは遊びを通して、人間としてのさまざまな能力を開発していると考えられています。子どもの生活すべてが遊びといっても過言ではありません。子どもは遊ぶのが仕事であり、それによってあらゆるものを学習するといわれています。初めは感覚運動を楽しみ、それらを通して自分の身近なものを認識していきます。その子どもたちも、三歳を過ぎるとこれらにあきたらず、年長の子の模倣遊びをしたりします。これらの反応を、保育者は的確にとらえて対応していかなくてはなりません。

以前は、地域で、瓦《かわら》を石ですりへらしてケンパにしたり、壊れないだんご作り、缶けり、かくれんぼ、虫とり、魚つり等、異年齢集団の、心ときめく遊び体験が多々ありました。そして、それらは自然に伝承されました。今の子どもをとりまく環境は、大きく変化しています。遊び場の減少、つくられた公園、住宅事情、交通、事件多発、兄弟減少、核家族、都市集中等で、生活空間は、子どもが遊び育つのにふさわしいとはいえません。これらの状況の中で、子どもの遊びは、園生活が荷負っていかなくてはならなず、集団生活への期待は大きいといえます。

事例

三歳児が自分のペースで、自由に遊べるスペース・環境設定は、望ましいことです。K男の行動は興味深いものがあります。好奇心に満ち満ちていて、見つけたものすべてが遊びに結びついています。保育者にも積極的にかかわってきます。他の幼児に対しては、自分の気持ちのままに動くためトラブルがたえませんが、さまざまな遊びを転回し、他への影響も大きいなど存在感があります。

特に、パイプ遊びで二本を立て、水を流してもう一方へ渡そうという発想は、遊びを多く体験している中からの思いつきといえます。K男が水を流し出したとき「わあーおもしろいこと始めたね」と感心してみせることも、遊びを持続させる励みにつながります。何度水を入れてももれるとき「どうしてかしら」と疑問を投げかけます。思考するチャンスをつくり、周囲の物へ興味を向けさせます。いろいろな廃品や容器、ビニール袋等さりげなく設置してあれこれ試み、パイプ接続を働きかけます。友達と協力して、上から押さえて支える役、水を流す役、ビニール袋を握る役等、パイプ遊びに役割分担、協力が自然に出てきます。水を浴びて服をぬらしたり、汚したり、多くの失敗を繰り返す中から、成功の糸口を見いだせるように励まし、子どもたちに考える余地を与える控え目な助言をおしまないようにしたいものです。保育者の指導力がこの辺にあるといえます。水が渡っていくさまを体験できれば、成就感を味わえ、砂場遊びが発展しておもしろく思われます。そのあたりが遊びのおもしろさであり、教育的意義が大きいといわれるゆえんです。K男は、相手と遊ぶ中で、肩を棒でたたくときの加減が悪く泣かせたり、他の幼児の誘いに知らん顔をしたりして、自己中心的です。まさしく三歳児といえます。K男の提供する遊びを、もっと他の幼児への広がりにつなげるとおもしろくなるように思われます。年中・年長が遊びにきても、ものおじすることなく遊んでいるあたりは、なかなかの大物といえます。

電車ごっこで、N男が「よせて」と声をかけても「おまえのところはないよ」とことわられますが、Y子のやさしさで「いいよ」と加入を認められます。すると、ことわった本人が「おれの友達なんぞ……」と主張するあたりは、ちょっとかわいいところです。K男の方は「よせて」ともいわずに加わっています。カラーボックスを持っているものが、遊びに参加できる条件のように思っているのです。これは、自分の守備範囲にこだわる三歳児の特徴が出ていると思われます。K男が、セロテープをはるだけでなく二階建てにしていくのは実におもしろいと思います。このアイデアを取り入れ、「二階建ての電車、展望台付きの特急です。さあ、〇〇温泉行きです。お乗りの方はお早く、この電車は特急券がないと乗れません」と駅員が紙メガホンで呼びかけるようにしてみることも考えられます。そうすると、切符自動販売機が必要になり、販売の子を役割分担させることができます。K男は、一応「入れて」とはことわっていますが、壊して船に作りかえました。これを先の電車ごっことドッキングさせると、遊びはおもしろくなります。

記録で、保育者が声を発しないで見守っているあたりは、子どもの自発性を促すいい方法と思います。ただ、K男が手あたりしだいに遊びを変化させ、アイデアをつぎつぎと出してきたものを少し持続させたいものです。友達との和を保ったり、協力する方向へ向いたらいいと思います。

Y男が画用紙を丸めて「望遠鏡」といっている場面で、次のようにすることも考えられます。

船の船長さんは、遊覧船上でトイレットペーパーの芯で作った双眼鏡を首から下げています。保育者も船に乗り、「いい景色、あれは何ですか」などいって画用紙の望遠鏡で見ます。子どもたちは「あっ、二階建て電車」「島が見える」「カモメが飛んでいる」「魚が泳いでるよ」など、自分の知っていること、体験した事がらを口々に叫び、想像・夢がどんどんふくらんでいきます。船の中にままごとを持ち込み、レストランに見たて、食事を楽しんだりします。このとき、子どもたちをかわりばんこにひざへおいたりします。まだまだひざが恋しいのです。公平に抱いたり、おんぶしたりしてあげたいものです。

電車・遊覧船で、お客、働く人など、交互にいろいろな役も体験させてあげたいものです。その中で、子どもたちは三歳児なりの遊びのルールを作り出します。「ここんとこ海だから、入ったらおぼれるよ」「ここ線路、通ってはいけない」などいい合い、摩擦が起ることも多々あります。このような自由遊びの中で見られる生き生きした姿を大切にしていきたいものです。

保育者は、遊びの指導において、次の点に留意したいと思います。

●自由にといいながら遊びを放任していないか。
●子どもの発達の実態、個人差、個性を十分把握して要求を正確に組みとっているか。
●そのとき子どもに応じた楽しさ、おもしろさを追求しているか。

遊びの中で形成される積極性、意欲、思考、創意工夫は、後の学習に取り組む姿勢につながるといわれています。遊びは自主的、自発的であり、その中にルールがあり、それを守ることが遊びの輪を広げることになります。そして、その中で社会性を身につけます。事例⑬の中で、カラーブロックを運んだり、セロテープで連続したりする場面がありました。このとき、重ねたり、重い箱積み木を協力して運ぶ経験もします。これらは手・足・腰など身体の諸機能の発達を促します。労働遊びとして、花壇作り、畑作りなどをして、土を車・バケツで運んだり、生ゴミを土の中に埋めて肥料にしたりする遊びも大切なものといえます。

カラーブロックを連結するとき、穴がある物の接続には、ひもを使って、結ぶ、ほどくなどの経験も組みこめたらと思います。三歳の初めは、ふろしき、スカーフ、おぶひものほどきから結びに発展させると、遊びが豊かに広がります。今は靴ひももマジックで、結ぶ機会が少なくなっています。遊びたい、○○したいという願望が、それらの素材を扱おうとする意欲につながっていくはずです。今は結ぶということを例にしましたが、遊びは、物の扱い方、作り方などを認識し、知識を広めて、それらの相互関係、数・量、形、位置関係等を学ぶ糸口ともなります。

三歳児は、特に○○ごっこで役割を決めたり、それはウソッコだよといいながら役になりきったりしていきます。そこで自己主張したり、ぶつかったり、相手に譲る体験をし、理解し合い、友達の輪を一人から二人へと広げていきます。

保育者は、あるときは、おもしろさを増すように指導し、遊びの内容を豊かにする働きかけをし、技術・技能をアドバイスして、一人ひとりの子どもが十分遊びと取り組めるよう注意を払いたいものです。

保育者のねらいが全面に出すぎると、興味を失ってしまいます。遊びを育てることを通して、子どもの正しい発達を保証する手がかりとしたいものです。遊べない子ども、遊ばない子どもを一人でも少なくしていきたいと思います。どんな遊びをしていいかわからない子どもが増えていますが、それは見て学ぶ機会がないためかもしれません。それに、知育教育優先で、子どもが汗を流し、自然の中でどろんこになったりして夢中に遊ぶことが大切と思わない大人が増えていることもあるでしょう。高価な完成された玩具をあてがったり、○○ゲームを与えていると静かだからといって安易な与え方をしています。半既成品、ブロック、積み木や、廃物利用の玩具には、楽しさが多く秘められています。昔は物がなくても、親や友達と体をぶつけ合って遊び、興じる中で、仲間との正しいつきあい方、けんかのルール、仕事のしかたを学んでいたのです。何をして遊んでいいかわからない、遊びたくないなどという子どもは重症といえます。遊ぶこと、それは生きることです。子どもにとって、今の社会環境の中で、唯一救われるところは園生活といえます。ここでは遊びのすばらしい世界が繰り広げられるのです。体を動かし、物を扱い、奪い合い、ゆずり合い、作り出し、失敗し、汗を流し、涙を流し、あらゆる力を出し合います。協力し合い、遊びに積極的に取り組めます。

事例⑬の中のまとめで、子どもたちは、興味や関心によって左右され、安心できる場を見つけ、それが友達とつながっていくと記されています。安心できる保育施設、人的環境の中で、興味に即して組織化したり、遊びが連続して発展していけるよう保育者は努めたいものです。

園全体の一貫性、地域性、伝承遊びなど、園で過ごす時間が長い中、マンネリ化のない、いつまでも心に深くきざみこまれる、有意義な遊びを展開していきたいものです。

（東京都・東京都大田高等保育学院　加藤敏子）

理論考察

生活のリズムと遊び

三歳児の生活

保育所や幼稚園では〝生活〟という言葉を〝遊び〟と対比させてとらえる傾向が強いように思われます。特に、改訂前の保育所保育指針による領域〝生活〟のイメージから、生活すなわち基本的生活習慣の形成に結びつけやすかったのだろうと思うのです。もちろん、人間が自立していくためにそのことは重要な条件であることに違いありません。しかし、ここでは領域〝生活〟の枠を越えて、子どもの生活全体について考えてみたいのです。

その領域でさえ、本来子どもの生活と遊びは不可分のものであるが、保育内容を組み立てるうえで、便宜上、生命の維持に直接かかわる睡眠や食事、清潔、排泄、衣服の着脱などの活動を生活の部類で押さえ、自己充実活動を遊びというふうに押さえているわけです。さらに乳児の場合は、(大人に)してもらう活動を生活、(自分で)する活動を遊びということもできます。どちらの場合でも、遊びとはつねに自分がやりたいからする、特に何のためという目的がなくても自分の楽しみのためにすることと解釈されています。

しかし、実際の生活の中では子どもにとってそうした区別はありません。空腹になれば食事が待ち遠しく、好きな物が出されると相好を崩して喜びます。フォークに突きさしたニンジンを隣の子どものお皿に「こんにちは」と遊びに行かせたりします。「ぼくのお豆、もうみんなおなかに入っちゃったよ。シンちゃんの、まだ三人残ってるぞ」「ほうら、もういなくなったぞ」「よし、こんどはジャガイモだ！」などと仲よしどうしで楽しんでいるときは、健康のためとは考えてもいないでしょう。

ところが、保育者の方では（ためにする活動）と（楽しむ活動）を区別したいものとみえ、「遊びながら食べてはいけません」「食物をおもちゃにしないのよ」と注意します。健康と食物との関係はそのうち少しずつわかっていくのですが、三歳児はまだまだ何もかもが珍しくおもしろく感じられるときなのです。自分でうまくニンジンの中心をフォークで突きさすことができると（どうだ、うまくやれただろう）と得意になり、そのまま口へ運ぶのはもったいない、ちょっと遊んでから食べようと、隣のお皿まで遠征してみます。そのときにはフォークの先のニンジンは人格を持ち、隣のニンジンさんに交際を求めます。もちろん、ニンジンは二人の子どもを代表しているのですが、自分の代わりに食物どうしを交際させることによって、いわゆるメタ・コミュニケーション（お互いにうそっこの世界を了解し合っている）を成立させているのです。

この関係は興味深いものがあります。二人の三歳児はお互いにより親しくなりたいと願いながらも、なかなかその方法を思いつきません。大人のように言葉を駆使することもできないのです。そうした場合、両者に共通した物（この場合、同じ食物と食器）どうしを自分の代わりに交際させるのです。そこでは、わずかな言葉で共通のイメージを呼び起こすことができ、フォークを使う技能も同じ程度であることから、遊びの方法も限定されてきます。気に入らないことがあっても、フォークの先のニンジンどうしが戦えばいいのです。つまり、生身の人間として相対するよりはるかに気軽に付き合えるのではないでしょうか。

これは、三歳児の遊びのほとんどが、ままごとをはじめ、スーパーマンごっこ、バスごっこ、幼稚園ごっこというように、自分以外の何者かになって遊ぶ〝ごっこ〟の世界であることと無縁ではないでしょう。集団生活を始めたばかりの三歳児は、ごっこ遊びを通していろいろな役になってみます。つまり、他人の立場や気持ちを遊びながら経験してみる、いわばうそっこの世界なのですから、それほど緊張しなくてもすみます。相手から非難されても、それは自分ではなく、自分が演じている他の人格が非難されるわけです。ふざけてごまかすことだってできます。

一、二歳のころから見られたアニミズム（身辺の木や石など物にも人間と同じように感情があると思い込むこと）は、三歳になってもそのまま残っているように見えますが、実はしだいに「生きているように見せかける」虚構の世界を楽しむように変わってきます。童話を喜んで聞いたり、お話の一部を再現して劇ごっこを楽しんだりするのもこのころからです。

このことは、当然三歳児の生活全体を考えるうえで大変参考になります。初めに述べた生活と遊びの区別がつきがたいというのも、そこに原因があるのではないかと思うのです。たとえば、朝、登園したとき、先生を驚かそうと靴箱のかげに隠れたりします。朝のあいさつをきちんとするより、ワッと声をあげ、先生が驚くようすをみて大得意になるほうが、その子どもにとっては喜ばしい出会いなのかもしれません。それを「朝のごあいさつはきちんとしましょう。はい、やり直し」などといってしまっては、せっかくインディアンになったつもりの子どもの気持ちに水を差すことになるでしょう。

子どもの園生活がどうあったらいいかを考えると、朝、喜んで登園し、先生や友達との出会いを楽しみ、そのまま遊びに入るという流れが好ましく、あいさつや持ち物の始末の指導のためプツンプツンと切らないほうがいいのではないでしょうか。五、六月ころの三歳児は、やっと園になじみ、仲よしの友達もできて園に来るのがうれしくてたまらず、登園したとたん、カバンをほうり出して友達のいる砂場へかけて行ったりします。保育者はその場の状況と子どもの気持ちを考慮しながら、自分でカバンを片づけたり、預かっておいて砂場の帰りに渡したり、場合によっては呼びとめて始末を促すこともあるでしょう。

登園すれば、まず所持品の始末をすることが望ましい習慣には違いありませんが、そこに至るプロセスとして、ほとんど遊びで成り立っている三歳児の生活の中に指導をどう取り入れるかが保育者の課題になります。望ましい生活のリズムとは、睡眠と目覚め、食事の間隔、活動と休息などを考えるにとどまらず、子ども自身の持っているペースや、他の幼児といっしょにいることで生ずる遊びのエネルギーなども見ながら、園生活のリズムを作っていくことだと思うのです。

自立ということ

事例①～⑫にも見られるように、三歳児の生活は自分でできることが増えたことが基盤にあって成り立っています。たしかに、自分の身辺の処理がひとりでできるようになることが、自立するための要件であることにちがいありません。そのためか、生活といえばこの部分だけを取り出して指導するという傾向があったように思います。しかし、こうした習慣形成も、人間関係や言葉、運動や感覚機能の発達、遊びへの意欲などと切り離して考えることはできません。それらがすべてからみ合い、影響し合って成長しています。ですから、習慣形成は目的ではなく、より豊かに生きるための手段であり、遊びが育つ条件として考えたいと思うのです。

自分の意志を自分の身体を使って表現したいという気持ちは、ごく早くから見られます。離乳食を食べさせてもらうとき、嫌なものがあるとさっと横を向いたり、舌で押し出したりします。また、哺乳びんを含ませられると、母親の手に自分の手を添えて飲もうとします。一歳になると、食べさせてくれる母親の手からスプーンを奪い取って食物をかき混ぜ、こぼしながらも自分の口に運ぼうとします。二歳になってやっとフォーク、スプーン、はしの使い方に慣れ、大人の介助がなくても自分で食べられるようになるのです。

このように、食事行動を取り上げてみても、自分でやりたいという意欲を実現させるには、運動機能の発達とともに、世話をしてくれる人との安定した関係や、モデルの行動を模倣する能力、言葉による指導内容の理解力などの発達に負うところが大きいのです。ひとりで食事ができるようになると、遊び方も変わってきます。大人に介助してもらっていた間は、大人に対する依存心が強く、遊んでもらうことが多かったのに、自分でできるようになると、大人よりも他の子どもとの遊びを望むようになります。自立というのは生活面だけでなく遊びの面にも現れてきます。

また、友達と遊ぶには、友達のしていることをよく観察し、その遊びのイメージを描き、自分がどのように参加すればいいのかを考えなければなりません。それとともに言葉によるコミュニケーションが必要です。遊びの中でトラブルが起きれば、その解決法も自分たちで見つけなければならないのです。このことも、身辺の処理ができるのと同じように、あるいはそれ以上に、人間の自立にとって欠くべからざる能力です。

友達ができると、友達のすることが気になり、生活面でも自立が進んできます。他の子どもができることを自分だけができないと恥ずかしいと思うようになり、見よう見まねでなんとかやろうと努力もします。子どもにとって模倣の対象は、大人よりも自分に近い年齢の子どものほうがまねしやすいことがあります。「大人のようにはとてもできないけれど、シンちゃんがやれるんならぼくもやってみよう」と思うわけです。異年齢集団で遊ぶ効果の中に、少し年上の子どもから学ぶ、少し年下の子どもに教えてやるというのがあるように、三歳クラスの中でもお互いに伝え合う働きが生まれます。いわば、生活習慣の自立が進むにつれ、他の幼児と遊ぶ余裕が生じ、他の幼児との遊びが盛んになるにしたがって生活習慣の自立もさらに進んでくるという循環が行われるのです。生活と遊びは切り離せないというのは自立の面でもいえます。ですから、園で子どもを見るとき、排泄、食事などと取り出すのではなく、生活全体との関連で見ていきたいと思うのです。

子どもの生活の自立を見ていくもう一つの視点は家庭との関係です。子どもは一日を家庭と園という二つの場で生活しています。保育所では昼間の大半を過ごしますが、幼稚園では半日あまりです。また、保育所の三歳児の大部分が乳児保育を経験しているのに対して、幼稚園ではほとんどの子どもが初めて家庭を離れて入園してきます。両方の三歳児を比べて最も目立つのが、生活習慣の自立の程度です。保育所の三歳児が身辺の処理がさっさとできるのに、幼稚園ではまるで赤ちゃんなみに手がかかる、とよくいわれます。

このことは保育研究者の中でよく問題として取り上げられてきました。保育所では生活面の自立を急がせすぎているのではないか、早く何かができることを保育の成果ととらえているのではないか、と。一方、幼稚園児の姿は母親の過保護の結果としてとらえられてきました。しかしおもしろいことに、入園後二か月もたつと、幼稚園の三歳児も保育所の子どもと同じように身辺の処理ができるようになってきます。

これを遊びの面からみると、乳児から保育所で過ごしてきた子どもは、園生活の約束ごとがよくわかっているために遊びが制限されてしまうことがあるようです。危ないことや散らかすようなことはあまりやらない、今までしてきた、あるいは年長児がしていた遊びの範囲からはみ出さない傾向があるともいわれます。ところが、幼稚園の三歳児は不安な時期を過ぎると、かえってのびのびと大胆に遊び始めることが多いのです。家庭で神経質な母親に遊びを規制されていた子どもも、いったんその枠が外れると、思い切り汚したり暴れまわったりするものです。これは、汚してはいけないという禁を破ることで、母親から自立しようとしているのではないでしょうか。

このように見てくると、三歳児組になった時点での生活は、それまで子どもにかかわってきた大人の影響が大きく、それ以後の生活の中では、集団の中での他の幼児に影響される部分が多くなってくることがわかります。保育者はこのことも念頭において指導をするべきでしょう。

また、園では自分できちんとできるのに、家に帰ると母親に甘えて何もかもやってもらいたがる子どもがいる反面、家庭できびしくしつけられている〝おりこうさん〟が、園で先生にべたべたと甘えることもあります。子どもはこうして一日の生活の中でうまくバランスをとっているのかもしれません。「園ではよくやれるのですから家庭でもそのように指導してください」とか、「せっかく園でよいしつけをしても家庭でそれをこわされるとなんにもなりません」などと連絡帳に書く前に、子どもの生活に無理がないか考えてみる必要があるでしょう。

生活習慣とは何か

人間は自分の種族を保存するために子どもを生み、生きるための技術を親から子どもに伝えてきました。食物のとり方、危険から身を守る方法、健康を保つにはどうすればよいかも含めて、自分で生きていく能力をまず身につけさせることが教育の始まりであったと思います。現代では、昔に比べるとはるかに生存のための条件はよくなったとはいえ、親が子どもに伝えていかなければならないこの部分が、基本的生活習慣と呼ばれているものだろうと思います。

睡眠、食事、排泄、清潔、着脱と項目が掲げられているために、とかく、一つ一つの項目についての方法を習得させることが目的のように考えられてきました。しかし、これは人間らしい生活のしかたを覚えることであり、望ましい生活のリズムを作っていくことでもあります。自分の健康を保持し、自分で生命の安全を守ろうとする生活態度を身につけることが自立の基本であり、生活習慣の指導の究極のねらいはそこにあるのだと思います。

もう一つは、他の人びとともに生きていく方法を覚えていくことです。人間は社会的な生物であり、家族も含めて他の人びととかかわることなしに生きていくことはできません。そこで、他の人びととの争いを避けるための約束ごとが生まれ、みんながそれを守って社会の秩序が維持されてきました。いわゆる社会的な習慣といわれるものです。

たとえば、あいさつの起源は見知らぬ者どうしが出会ったとき、互いに敵意のないことを示すためのものであったといわれています。現代の交通規則（これによってみんなの生命が守られているわけですが）に比べると、なんとほのぼのとしていることでしょう。大人が子どもにあいさつを教えるとき、言葉をおうむ返しに繰り返させるのではなく、人と出会った喜びの感情を伝えることが大切だと思うのです。でないと、青は進め、赤は止まれと同じように、朝はお早よう、帰りはさようならと機械的に覚えても人間関係は深まりません。

基本的生活習慣の自立の本当のねらいが、自分の生命の尊さに気づき、自分の存在を肯定的にとらえ、自分を愛しむことにあるように、社会的な生活習慣が、他人も尊重し、愛し合い助け合って生きていくためにあることを知らせていきたいと思うのです。三歳児が、自分の大好物であっても隣の子のお皿からそれを取らないのは、隣の子もそれが好きで取られたら悲しいとわかるからです。ブランコを一人占めして得意がっていても、乗りたくてじっと待っている子どもの顔に気づくと喜びは半減し、「あと二十数えたらな」ということになるのです。

また、みんなで使って遊んだ砂場の道具を「ぼくが出したんじゃないよ」と片づけないで逃げていても、先生が片づけていると「ぼくもやったげる」と手伝いにくる子どももいます。「お片づけ」といわれて遊びを止めた子どもがほうり投げたボールを、やっと手に入れてうれしそうに蹴ってみる気の弱い子どもがいます。要領よく園庭を跳び回っていて、片づけが終わったころに部屋に入ってくるちゃっかりやさんもいます。三歳組の片づけ風景は「さあ、片づけましょう」ではおさまりきらないのです。

まじめにいわれた通りにするのも、要領よくサボるのも、積極的に片づけて次の活動への期待を持つのも、それぞれの子どもの中にあるいろいろな段階であり、それが遊びの状態や他の幼児とのかかわり方でまた違った表現として出てくるものです。片づけといえば、全員が一斉に片づける行動をすると期待するのは無理なのではないでしょうか。むしろ、片づけに対してどういう態度をとりながらそれを受け入れていくか、というプロセスを見守りながら指導することが大切でしょう。

片づけを例に、社会的な生活習慣の育ちとそれを見る保育者の視点を考えてきたのですが、遊びの場でも同じことがいえます。年中組や年長組の子どもの遊びに加えてもらった三歳児は、少々のルール違反は大目に見てもらっています。ラインの外へ出ても、タッチを忘れても「まあいいや、まだわからないんだからな」と見逃してもらえるのです。この点、「早くからきちんとしつけておかなくては」などという大人に比べて、年長児のほうがはるかにすぐれた教育者ぶりを発揮しています。つまり、三歳児なりの能力に合った参加のしかたを認めることによって、三歳児に仲間に加わる誇りと喜びを感じさせ、一生懸命見よう見まねで「早くお兄ちゃんたちと同じようになりたい」という意欲を起こさせています。

「かごめ」の鬼になり、後をふり向いて見ようとすると、一斉に「だめ」「ずるいよ」といわれ我慢するようになります。「うしろの正面だーれ」でみんなコケコッコーといいたいけれど、後にいる一人だけに権利があるというルールがわかり、だまって見守ることができるようになります。それまでには、自分が後の正面に座ったとき、他の子どもたちがあちこちで声をあげてじゃまされた苦い経験もあったことでしょう。

このように、三歳児は園生活のさまざまな場面で社会生活に必要なことを学んでいます。新しい幼稚園教育要領でいみじくもいっているように、「遊びを通して」「他の幼児たちと生活を共にしながら」徐々に自分のものにしていくのです。三歳時代は、大人に助けられながらしていく状態から、他の幼児のようすを見ながら自分でしていこうとする変わり目にあるように思います。

生活習慣形成の方法

生活習慣形成の具体的な方法についても考えてみましょう。原則はあくまでも発達段階に応じた方法を選ぶということです。指先の操作機能が発達するにつれ、食器を使うことや衣服の着脱のしかたを教え、背骨で上体をしっかりと支えられるようになって便器に座らせたように、三歳児にとっての発達課題を考えてみることが必要です。というより、三歳クラスにいる一人ひとりの子どもにとって、というべきでしょう。

また、習慣形成の指導（いわゆるしつけ）は大人との関係のうえに成り立っています。保育者がきびしい態度をとれば、子どもは怖がって保育者の前ではそうするように努めます。しかし、保育者が見えないときはやらないでおこう、見つからなければ得をしたと思うのです。叱られるからしかたなしにするという態度を育てることになります。

一方、保育者との関係がよい場合は、保育者に期待されている自分に自信をもち、与えられた課題を進んでやろうとする意欲が生まれます。それをすることで保育者が喜んでくれ、それがまた子どもの喜びにもなります。三歳児はよく「先生、びっくりしたでしょう。ちゃーんとお椅子並べといたんですからね」などと威張ってみせます。いわれなかったのに気がついてやったの、えらいでしょうといわんばかりです。「よく気がついたわね。大きい組さんがやってくれたのかと思ったわ。どうもありがとう」といおうものなら、大満足でニコニコ顔です。

というように、子どもたちが自分の能力を十分発揮できる場をそれとなく用意し、「自分たちでうまくやれた」、「みんなの役に立つ仕事ができた」、「先生も認めてくれた」という経験を重ねることが最も効果があるでしょう。しかし、三歳児ではまだまだ気分にむらがあり、いつもそうできるとは限りません。背のびしてほめてもらいたがるのも、何もかもやってもらいたがるのも甘えなのです。友達の方を向いているようでも、大人に対する依存心が強く残っていることに気づいてやる必要があります。

もう一つ考えておきたいのは、よい生活習慣を身につける必要性が、三歳児にはまだよくわかっていないことです。何のためにそうするのかという因果関係がわかってくるのは、もっとずっと後のことになります。「何だかよくわからないけど先生やお母さんがそういうし、周りの人もみなそうしているから私も……」というところかもしれません。しかし、わけがわからなくても、その時期に習慣づけをしておくことが必要なこともあります。おはしを持つ時期に正しく使えるように持たせないと、小学生にもなってから直すのはなかなか大変です。おむつをとるとか、パジャマに着がえてひとりでベッドで眠るとか、うがい、歯をみがく、手を洗うなども、それができる時点で働きかけをしておくと、本人もあとで助かります。ただ、その時は多少窮屈な思いをしたり、なぜこんなことを強要されるのかと悲しく思うこともあるでしょうから、大人はそのことを十分思いやることが大切です。子どもは、嫌なことでも信頼する大人のすすめることだからと、我慢して付き合う部分もあります。

三歳児の生活に必要な個々の指導の内容や実際については、コメントでていねいに触れているので、ここでは省略します。要は、そのようにすると、自分も気持ちよく生活できるという実感を味わわせることではないでしょうか。

環境としての大人の生活態度

人間の生活様式が伝えられていくのは、いっしょに生活する大人の生活ぶりを見て、子どもがそれを学び身につけていくからです。どの民族の文化もそうして継承されてきました。食事のしかたも欧米と東洋とでは異なり、人間関係の秩序や敬意の表し方、日常のあいさつに至るまで、独自の文化を身につけるように子どもを教育してきたのです。生活習慣を考えるときにも、私たちの属している社会の生活様式に適応するようにという原則を念頭においています。ですから、子どもの習慣形成を考えるとき、長期にわたって最も大きな影響を与えているのは、子どものそばにいる大人の生活ぶりだということができるでしょう。ちょうど、周りの大人の話すのを聞いて自国語を覚えていくように、大人のやり方を見覚えてそれを目標に成長していきます。人的環境としての保育者の役割については、たぶん、他のいろいろなところで述べられていると思いますので、ここではいわゆる〝生活〟の部分に絞って考えてみたいと思います。

毎朝、息せききってかけつけ、バッグは机の上にほうり出したまま、上靴もつっかけて保育室に現れる先生は「ほら、早くしなさい、遅くなっちゃうでしょ」とわけもなく子どもを急がせることがあります。「さあ、早く並んで」「さあ、早く食べて」「さあ、早く片づけて」と、子どもを次の行動へと追い立てていくと、子どもは今やっていることを楽しむ余裕もできません。実際には、並ぶこと自体、三歳児にはおもしろい経験だと思うのです。長い列ができるのが珍しく、ずっと前の方まで見ようと思うと列が曲がってしまいます。そんなことを繰り返して、徐々にまっすぐな線になるには自分がどうすればいいかがわかってくるのです。横から押したり引っ張ったりして機械的にまっすぐにしてしまおうとする保育者は、生活態度にも現在を大切に生きるゆとりが見られないでしょう。

食事を楽しんで子どもたちとゆっくりとる先生と、お行儀の悪い子や食物を残す子はいないかと灯台のようにたえず全体をぐるぐる見回しながら、自分の食事をそそくさととる先生と、どちらが子どもによい影響を与えることができるでしょうか。三歳児でも、初めのうちは介助のいる子どもがいるかもしれませんが、自立するにつれ、今度は先生の食事中の態度がモデルの役割を果たします。一口食べては席を立ち、あわてて口にほうりこんでいては、「ゆっくり落ち着いて、よくかんで食べましょう」といっても説得力はありません。

手を洗ったり片づけたりすることの指導も、担任保育者がいつも室内をさっぱりと片づけ、汚れたらこまめに掃いたりふいたりしていると、その環境を好ましく感じ「先生のお手伝いをする」と進んでやり始めるものです。三歳児は、お当番などと責任を持たせるよりは、「先生のようにやってみたい」

と意欲を起こさせるほうが好ましいと思うのです。片づけや台ふきはお母さんごっこのイメージをもっています。お母さんごっここそ、家の中を整えるにはどうあったらいいかという訓練の遊びではないでしょうか。エプロンやスカーフ、子どもの使いやすいほうきや、ぬいとりをしたきれいな台ふきんなど、使いたい気持ちにさせる物を用意することの効果も大きいと思います。まだ仕事と遊びの区別がつきがたい三歳児には、生活のために必要なことを遊びのようにするという特徴があります。また、ごっこ遊びのモデルはつねに大人の社会の実態という事実もあります。保育者が人間としてよいモデルであることが、遊びの内容を高めることにもなるでしょう。

あいさつや人間関係の学習も同じです。園内の職員どうしが交わす言葉づかいや態度で、子どもは敏感に互いの関係を感じとるものです。自分の担任が相手に対してとる態度によって、他の職員を判断するようにもなります。仲のよい職員には子どもも親しみますが、敬遠している間柄であれば、子どもも近寄りがたく思うのではないでしょうか。大人どうしがねぎらいや感謝の言葉を伝え合っていれば、子どももそうした言葉と場面の関係を理解して使うようになります。

保育者の服装、髪型から、歩き方をはじめ、はしの上げ降ろしにも子どもは注目しています。三歳児にとって担任保育者は、母親を別にすれば、初めて出会う大人の女性なのです。しかも、母親は自分の一部のような一体感を持った存在ですから、あらためて観察の対象になりがたいのに比べて、保育者は大勢の子どもの愛情と信頼の的になり、憧れの目で見られ、自分もあのようになりたいというモデルの役割を果たすことになるのです。

子どもの生活習慣を育てていくには、大きな背景としての大人自身の生活を考えることと、子どもの発達段階と個性に応じたきめ細かな援助をそのつどしていくという二つの面があることを述べてきたつもりです。その中の一部分のみを強調して指導するのではなく、遊びや人間関係も含めた生活全体を視野に入れながら、また、ある程度長期の見通しの中で考えたいと思います。目の前の子どもが今何かできなくても、それがどうしてなのか、これからどう向いていこうとしているのか、今何をすることがこの子にとって大切なのかを考えてやることが、本当の生活指導ではないのでしょうか。

（愛媛県・松山東雲短期大学　吉村真理子）

第二章　遊びや仲間への関心と遊びへの参加

(一) 自由遊びの姿から

〈クラスの状況〉

りす組（三歳児二十名）の構成メンバーは、二歳児組より進級し、継続している子ども十三名、他の乳児保育園より転園してきた子ども三名、家庭から初めて集団に入った子ども四名（障害児一名を含む）計二十名です。（男児は八名、女児は十二名）そして、担任は、二歳児組より持ち上がりの継続保育者一名と、新しく加わった保育者二名の三人担任でスタートしました。

いろいろな感情・意欲が芽ばえてくる三歳児（りす組）の四月の状況は、新しい環境に、それぞれがとまどいを見せ、落ち着かない毎日でした。新入児たちは、緊張感から、好きな遊びを見つけても、なかなか遊ぼうとしなかったり、最初は平気で、いろいろなものや人に関心を示して遊んだものの、一週間目ころより保護者の後追いをするようになって、毎朝、泣くようになったりする子どももいました。二歳児より進級したメンバーも、最初は、自分が大きくなって、お兄さん、お姉さんになったという喜びがあったものの、新しい生活の変化による疲れが少しずつ見え始めました。新しい仲間が増えたことで、甘えたくても思うように甘えられず、不満が感じられるようにもなりました。保育者の配慮も、子どもたちの遊びや要求・思いを大切に受け止めながら、一人ひとりを把握し、保育者と子どもとの信頼関係をつけることが中心になりました。

四月の中旬ころより、毎朝五分～十分程度の集会をして、友達の顔や名前を覚えたり、みんなの知っている歌を歌ったりしました。徐々に保育者や友達と親しむきっかけとして簡単な集団遊び「なきごえ遊び」「子どもの王様」「無人島」などもしてきました。

五月の中旬ごろになると、新しい環境にもだいぶ慣れてきて、気の合う子どもどうし（二〜三人）がいっしょに遊んだり、行動をともにしたりして、給食のときも隣り合って座りたがる姿が目立つようになりました。「ここは○○ちゃんが来るんだからダメッ！　あっち行って」などと主張して、トラブルになることも増えました。

実践事例⑭

乗り物遊びに集中した子どもたち

五月十七日（水）

ほぼ全員が登園したところ、簡単な集まりをすませて、「さあ、外で遊びましょう」と声かけしたとき、J君とY君が「先生、スクーターに乗りたいな」「僕もスクーターやりたい」と要求してきました。日ごろは、（他のクラスとの関係や約束ごともあるため）自由に乗り回せないのですが、今日は、たまたま、他のクラスがお散歩に出かけ、園庭は広々と使えそうです。そこで要求にこたえ、倉庫から三輪車やス

クーター、手押し車（猫車）などを出すことにしました。めずらしくクラス全員が乗り物に関心を示して、倉庫の前に集まり待っています。一人ひとりが好きな乗り物を選びました。じょうずにこいで乗れる子ども、乗らずに押して歩く子ども、よろよろしながら走らせようとする子どもたちの姿は、それぞれの方向（大半は西側の砂場方面に向かって）に進んで行きました。

ここでは、子どもたち全員が乗り物を選んだことで、バランス感覚のようすがよくわかりました。月齢の差より個人の差（運動発達の差）が認められます。乗り物（特にスクーター）は、身のこなしをコントロールさせる遊びとして、現在適当な遊具であると思いました。

実践事例⑮

五人のおうちごっこ

スクーターを選んだ子どもたちが、ジャングルジムの中に、スクーターを乗り入れて集まる姿が見られました。男児二名と女児三名（全員月齢の低い継続児たち）が、スクーターを置くと、ジャングルジムに登り始めます。

M子「あたしが一番大きいお姉さんよ！K子ちゃんは一番小さいお姉ちゃんね」

と、自信たっぷり主張します。

K子「小さいお姉さん？」

少々不満気な表情です。

A子「あたしも一番大きいお姉さん！」

と主張したとたん、「だめ、Mちゃん（自分のこと）が一番大きいお姉さんなんだから」とM子ちゃんにいわれて、しゅんとしてしまいましたが、いっしょにジャングルジムの二段～三段のところに登っています。

R男「おれだって一番大きいお兄さんなんだから」

と、まねしたようにいいだしました。R男といっしょに来たY男は、ジャングルジムには登らず、「じゃ、僕はあめ買いに行ってくるからな」

と、上にいる友達に声をかけると、スクーターを再び引っぱり出して、ときどき足をかけ、よろよろと乗ったり、押したりして砂場の方へ移動して行きました。

K子　「Kちゃんも、あめ買ってくるからね」と、ジャングルジムを降りて、Y君に続いてスクーターを押しながら行ってしまいました。

R男　「それじゃ、おれは二階に行ってこよう」と、ジャングルジムの一番上まで登り上がっています。

　ほんの五、六分間のやりとりでしたが、一人ひとりが、自分の思いのままに表現し合い、子どもどうしのおうちごっこが展開されました。ジャングルジムを離れた子どもたちは、もうおうちごっこの意識はなく、戻りませんでした。

　ここでは、ジャングルジムに登るようすにも個人差が見られ、注意して見守りました。五人のおうちごっこに発展したことは、M子のひと言（認識面で共通理解できること）がみんなの関心事になったためと思います。

実践事例⑯

保育者も遊び仲間のひとりとして

　鉄棒付近では、M男（継続児）が「先生、ガソリンスタンドやって」、Y男（継続児）が「ねえねえ、修理屋さんして」と、M保育者に要求し、誘いかけています。（M男もY男も、二歳のときから、M保育者といろいろなごっこ遊びを通して、共感し合った経験をたくさん持っています。）M保育者は早速了解して、鉄棒に縄跳びの縄を片方結び、もう片方の先を持って、「はい、いらっしゃい！ガソリンですか？があー」とか、「ここを修理します。ぶーん、びーっびーっ」とやり、「はい、できました。○○円です。おつりでーす。また来てください」などと、演じます。継続児たちは、お客さん役を楽しんだり、自分も保育者と同じ役を要求して、縄を使ってみたりしています。そこへ他の子どもたちもつぎつぎにやってきては、順番に同じようなやりとりをして、二十分くらい持続、発展しました。給油、修理をしてもらった子どもたちは、再び「先生、信号やって」と要求してきました。保育者は、急いで部屋に戻り、青、赤、黄の色画用紙を、直径二十五センチくらいの大きさに切り抜いて、すばやく要求に応じました。庭の中央に立ち、三色の円形画用紙を交互にパッ、パッと出して見せると、西側の土山より東側のプール方向に向かって、ほとんどの子どもたちが群れをなすように、スクーターや三輪車を走らせたり、押したりしてきました。保育者の信号機の前でいったん止まると、子どもたちは、それぞれ「先生、青出して」「赤にして」「黄色も。止まれだよ」と叫ぶようにいいながら、「青だ。行こう！」と走らせては折り返し、何度も信号機の前を行ったり来たりしています。

このとき、大半が行動をともにして遊んだことは、四月後半よりしばしば散歩に出かけて、信号機にも興味・関心が高まっているその経験が、群れをなして遊ぶきっかけにつながったと思います。

（東京都・練馬区立南田中第二保育園　須藤光子）

㈡　砂場周辺の遊びから

実践事例⑰

H君の遊び

五月二十九日(月)

砂場の中やその周りに、十五、六人の子どもたちが集まっているものの、子どもどうしのかかわりはあまり見られません。それぞれが、じょうろやバケツに水を入れて運んでは、シャベルやままごと道具を使い、砂、水、どろんこの感触を楽しんだり、器を並べて混ぜたり、移しかえたりの遊びを黙々とやっている姿が目立ちます。

H男(継続児)は、月齢が高く(四月生まれ)、日ごろは活発で、だれとでもよく遊び、周りの子どもたちに刺激を与えることが多い存在です。今日は、一人だけ、砂場から離れた庭の端っこで遊んでいました。大きめのカップの上に、底に穴のあいている植木鉢をワイングラスのような形に重ね、砂と水を入れ、さらに少しずつたしながら、ポタ、ポタたれるどろ水を注目していました。そばに行き、「何してるの?」と声をかけてみましたが、熱中しているためかすぐにこたえてくれません。小さいシャベルをスプーンのように扱ってかき回すようすを、いっしょにしゃがみこんで見ていると、H男「僕、コーヒー入れてるの。先生も飲みたい?」と話しかけてくれました。なるほど、サイホンのように見えます。「へえー、おいしそうね」と感心してみせると、得意気に「カレー食べたらコーヒー飲むからね」と大人のような口調でいいながら、「はい、できました」と、コップにどろ水を半分くらい移しかえて手渡してくれました。

H男の再現遊びは、ずいぶん大人の生活の細かいところにも関心があることがわかります。そして、ときには一人でイメージをふくらませ、だれにもじゃまされず、遊びこむ要求もあるように思いました。

実践事例⑱

保育者が四〜五人の遊びのリーダーになって

砂場の前には、木製のテーブル二台と、ベンチ四脚が置いてあります。そのコーナーで保育者は、四月からの新入児四名（女児中心）を誘って、共通体験のある誕生日ごっこをやってみました。最初は、保育者がリードし、プリンやケーキの型抜きをして、タンポポの花や雑草の葉をとって飾りつけました。ろうそくに見たてた茎を立てるころになると、四人とも生き生きと、よくしゃべり始め「わたしもこれやりたい」「S子ねえ、アイスクリーム作るから」「これはカレーライス」などと、いい合って、コップやお皿に砂を入れて並べたりしています。ごちそう作りがすんだところで「それじゃ、お誕生日、おめでとう！」と、保育者は一人ひとりの名前を入れて、誕生日の歌を歌い始めました。四月、五月の誕生会に参加している子どもたちは、歌を覚えているので、大きな声でいっしょに歌いだしました。「こんどは○○ちゃん！」とか「先生の誕生日しよう」といいだしたりして、盛りあがりを見せました。

新入児たちも、保育者を通して遊びを広げ、四、五人の仲間と遊び合う楽しさを経験することができたと思います。

〈経過から〉

六月に入ると、園の生活にもある程度見通しを持つことができるようになって、一人ひとりの行動に、自信のようなものも見られるようになりました。子どもどうし（継続児・新入児とも）のかかわりが積極的になり、ときどき、リーダー的存在が現れたりしています。しかし、まだまだ月齢の差もあり、そのときの気分しだいで「○○ちゃんは遊ぶけど、△△ちゃんは遊ばない」とか「○○ちゃん、遊んでくれないよ」「だめだっていうよ」と、主張したり、不満を訴えたり、スムーズにかかわれないことも多々見られます。

以上の経過から、幼児組としての集団活動（遊び）が、徐々に発展していくことを目標に（自由遊びの中で、子どもどうしの交流や、遊びを広げ深めていくためには）、日ごろの子どもたちの姿や要求を、保育者が遊びに付き合うことでよく理解し、クラス保育（設定遊び）の立案・配慮を大切にしていきたいと思います。

（東京都・練馬区立南田中第二保育園　須藤光子）

㈢ 積み木の船ごっこ

実践事例⑲

積み木の船ごっこ

六月十日

〈保育室のようす〉

○保育室中央には、箱積み木（小型）で作ったモルモットの囲いと、カメを入れたたらいがあり、数人の幼児がモルモットを抱いたり、カメにえさをやって食べるようすを見たりしています。

○ままごとコーナーでは、女児二人が長いスカートをはいてお姫様になっています。紙を丸めてセロテープでとめたり、「お手紙」といって配ったりしています。

○前庭では、男児三名が新聞紙の剣を持ち、ターボレンジャーになって走り回っています。

○L字コーナーには、登園後数人の男児が乗り物を作って壊したそのままの状態でウレタン積み木が散らばっています。

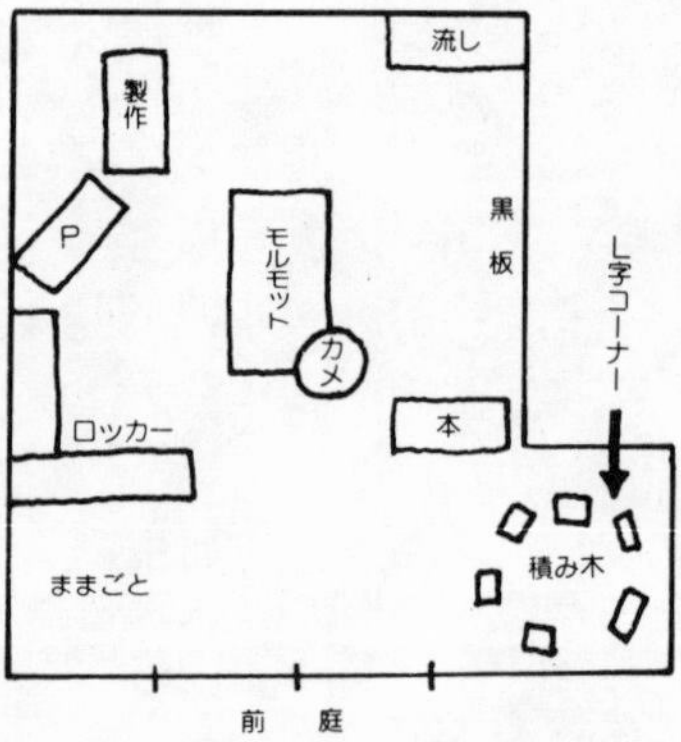

積み木を海に見たてて渡る

モルモットコーナーにいたO男が、崩れた積み木の上に飛び乗り、渡って歩き出します。「これ海？」と登園後海に見たてたことを思い出し、「トットコトットコトー！」と節をつけながら渡っています。ぐるっと渡ってくると、板状の積み木を一枚持ってきて立方体の積み木に立てかけ、その上をそっと歩き、また次の積み木に飛び移っています。

そこへM男とU男がターボレンジャーをしていた前庭からかけ込んできます。M男とU男は黙ってバラバラの積み木の上に飛び乗り、それぞれ足でさぐったり、跳び移ったりして歩いています。M男が「うみー」と歩きながら叫びます。U男はO男の作った〝橋〟を渡り、O男の顔をのぞきこむようにして「ターボレンジャーすべり台？すべり台？」と聞くと、O男は、U男をこづくようにして「ばっかだなあ」といいます。U男は〝橋〟の上で跳ねて笑います。

モルモットを積み木で囲う

モルモットコーナーからH男がやってきます。モルモットを抱いたままバラバラの積み木の上に乗り、落ちないように渡っていきますが、途中で立ち止まり、モルモットを床にそっとおろします。モルモットが動くので、そばにいたO男も近寄ってきていっしょにのぞきこみます。H男が「来たよー来た来た」とO男に向かって叫び、O男は急いで周りの積み木でモルモットを囲います。二人でモルモットをのぞいています。

O男は突然「ヒョッコリー」といって外に飛び出していきました。モルモットコーナーにいたI男が「モルちゃんこっち」とモルモットを元のコーナーに連れて行き、H男もそれについて行きます。

積み木で船を作る

O男が積み木コーナーに戻ってきます。さっきモルモットを囲った積み木の上に乗り「船、船、大きい船作るんだもーん」と積み木を並べます。板状の積み木を持ってきて両側に立てかけ、中に入って「船できたよー」と叫びます。

　モルモットコーナーにいたK男が「先生、船できたよー」と保育者に伝え、O男の船を見に行き、さっそく座っています。O男は、さらに積み木を重ねながら「この船どーお？」「これ百人乗れるんだよ」といいます。（モルモットコーナーでI男に抱き方を教えていた保育者は「百人も乗れるの？」と声をかけ、立ち上がってのぞいて「大きいね」といいます。）すると、I男もモルモットを抱いたまま積み木コーナーに行き、モルモットを積み木の上に乗せて積み木を二つつなげ「ね、先生、この船どお？」と聞きます。

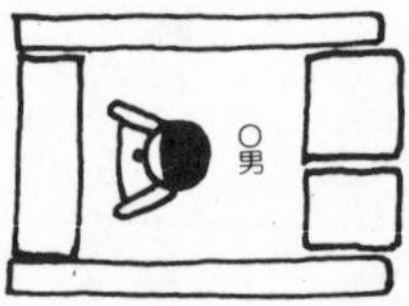

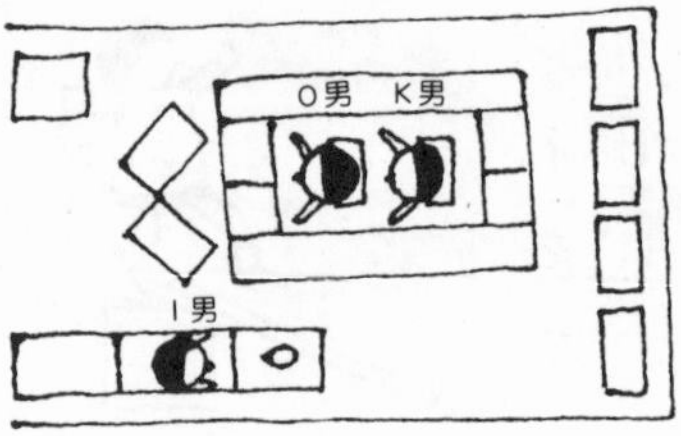

（保育者は、O男の船をのぞきこんで、「百人乗りだ」とつぶやいたり、I男に「モルちゃんもいっしよなの？」と声をかけたりしています。）I男は、「モルちゃんのお父さんなの」といい、さらに積み木をつなげます。
　M男とU男は「ターボレンジャー作ります」とM男が外に走り出し、U男もついて行きますが、また戻ってきて「ターボレンジャー」と叫んで積み木を並べ始めます。M男はU男に「これね、ターボレンジャーの」といい、U男も「ターボレンジャー乗るのね」といいます。M男は周りの積み木を並べかえたり運んできたりして運転台のようなものを作り、U男も自分の座る所と運転台のような所を作っています。
　製作コーナーにいたY子が近づいてきますが、「おまえ乗んなくていいの」とM男にいわれ、見ています。

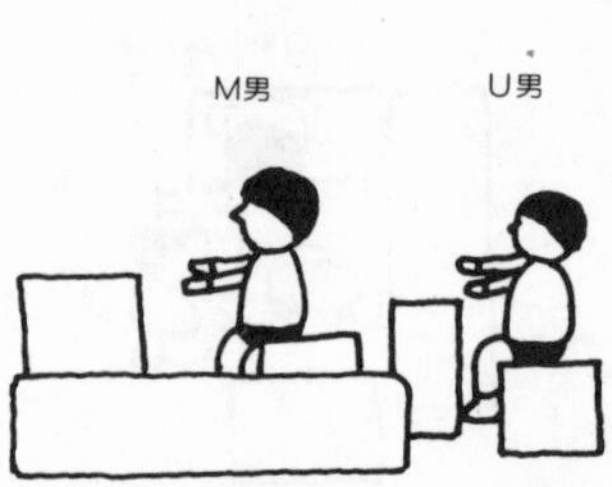

船の中

O男の船では、K男が立ち上がって船の横の坂（立てかけてあるので倒れやすい）を倒してしまうので、O男が「だーめ、これ怖い船だから沈んじゃうんだよ。こうやるの……」と横板をつかんで座るようにやってみせます。K男が座ると、今度は「先生、つかまるとこあるよ。先生も乗って」と保育者に声をかけます。

（保育者は「先生も乗るの？入れて！」と中に入り、保育者についてきたY子に「Y子ちゃんも乗る？」と聞きます。）Y子は「乗る！」といって保育者の横に座ります。O男はY子と保育者に「つかまるのこれ」と横板をつかんでみせ「沈んじゃう船なんだよ」といいます。保育者とY子が「沈んじゃうの？怖い」「怖い」といって板をつかむと、O男は「つかまってたら大丈夫」と声をかけます。K男が「ベルトかけるの」とベルトをかけるふりをし、O男は「ビューッと上にあがるんだよ」とハンドルを上にあげるしぐさです。それを見ていたK男は「飛行機だ。飛行機!!」とハンドルを動かすしぐさをし、O男も「エンジンカット!!ブーン、ガチャン!!」と叫びます。

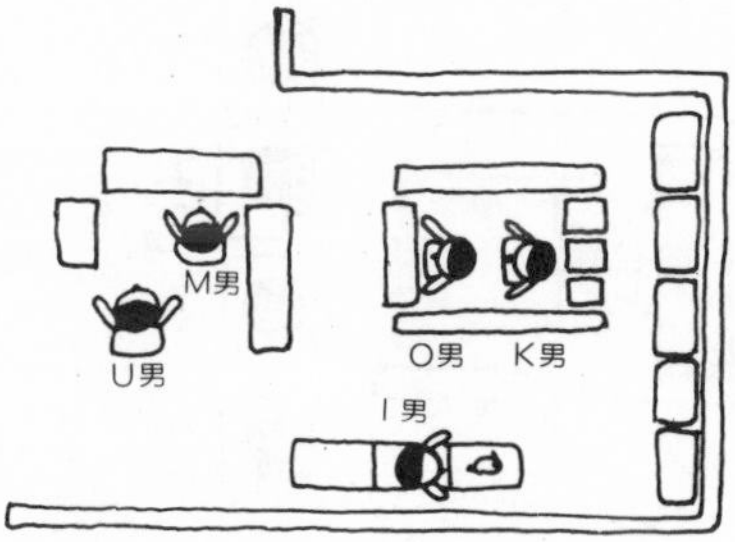

M男の乗り物では、M男が自分の座席を高くしています。U男は製作コーナーに細長い紙を取りに行き、M男がしているように腰に巻いてベルトにしようとしています。U男はM男に「やって」といい、M男はU男の腰に紙を巻くのを手伝うのですが、うまくとめられず「先生やってあげて」といいます。

（保育者はU男のベルトつけを手伝いながら「強そうね」と声をかけています。）

そこへ製作コーナーにいたH男がやってきて積み木が積んである所から円筒形の積み木を取ってきてM男の運転台の上に載せます。M男はそれを押さえます。H男がもう一つ同じ積み木を持ってきて載せると、M

男が落ちないように押さえています。登園後、M男とH男とU男で積み木を高く積んで壊すことを繰り返していたのを思い出したのか、M男は「壊れる！」といいます。そして、U男の方をふり返り「U男、早く乗れ!!早くU男乗れ!!」といい、ハンドルを動かしたりボタンを押すふりを始めます。H男は「わーっ」と叫んで、積み木の外へ飛び出てM男を見ますが、M男は「ターボロボ変身!!」「発射してくれ、ドッカーン」と運転を続け、U男も「合体だ!!」と叫んでいます。

H男が外に飛び出したのを見たY子は、「H君海に落っこちた!!」と叫びます。

（保育者は、O男の船の上から「H君落ちちゃったの？」と声をかけ、「つかまって」と手をのばします。）H男は保育者とY子の出した手につかまってO男の船に乗りこみます。O男は船のわきに座る所を作り、

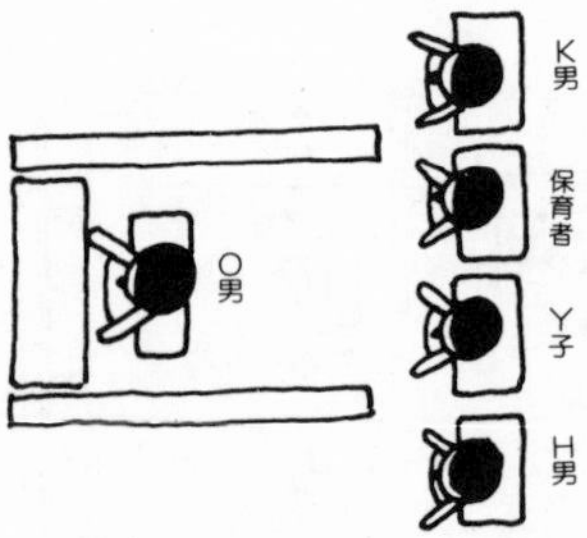

「ここも乗れるの」といいます。H男が座り、K男とO男は口々に「グーン」と運転します。

怪獣を想定し戦う

M男が立ち上がり「怪獣だ!!」と外に飛び出して戦うまねをし、「もういなくなった。おぼれてジャブーンと入った」と戻ってきます。モルモットを抱いていたI男も、モルモットをおいて「怪獣がどうなったか見てくる」と、M男に続いて飛び出し、「こっちだ!!」と戦うふりをして「怪獣だった」と戻ってきます。

合体

U男は運転のしぐさを続けながら「これ合体したの」と保育者に声をかけます。（保育者は「そう、合体したの」と答えます。）それを聞いていたO男が「これ、合体することもできるの」と立ち上がって積み木を取りに行き、自分の船の前につなげておきながら「合体したよ」といっています。

そこへM男も戻ってきて、「合体!!」と自分も積み木を並べかえたり、板を持ってきて置いたりします。

B子を怪獣に見たてる

始めます。O男も並べています。

自分の船とO男の船の間に積み木を持ってきて置き

少し間をおき、I男が「合体だ！合体するの」と

も「恐竜も死んだ」と運転しています。

運転しながら「怪獣が死んだ。ドー」と叫び、K男

がったーい」と運転を始めます。M男も乗りこんで

U男も自分の座っていた所を並べかえて座り「がー

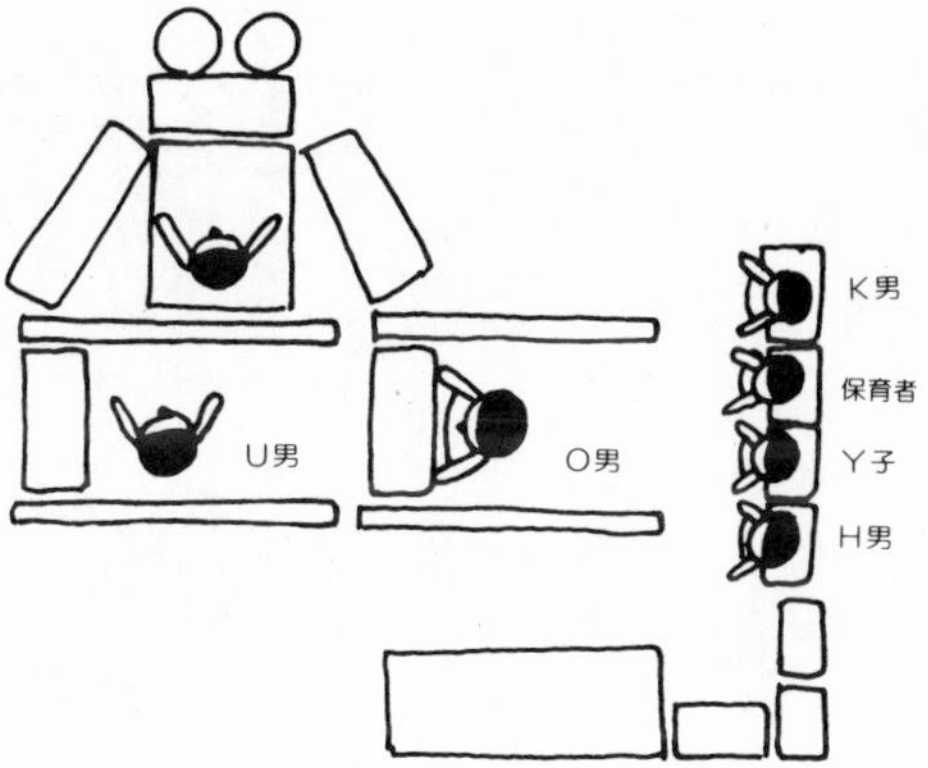

B子がままごとコーナーから保育者の所に手紙を持ってきます。（保育者は「お手紙」といいます。）

U男が「ブードゥーン、危い!!」と立ち上がってB子の方に飛びこみます。保育者がB子に「B子ちゃん怪獣じゃないよね」と聞くと、B子はうなずきます。それを見ていたU男は、キックするまねだけして座席に戻り「変身!!」と変身のしぐさです。M男もB子の方を見ながら「怪獣だ。カレーパンだせー!!」とボタンを押すしぐさ。O男とI男はまた積み木を並べながら「いい怪獣だ」「船怪獣だ」「シーボルトだ」と口々にいい、O男は自分の席に戻って「ここにいろ!!」とK男に向かっていいます。K男は「いくぞ!!よし」と運転しています。

保育者が手紙を読みおえると、B子はままごとコーナーに戻ります。O男とI男も足りない部分に積み木を運んで「合体」を続け、「百人乗りだ」といっています。

B子、A子、Y男が加わる

B子とA子がままごとコーナーから手紙を持ってきます。I男が「怪獣が来た」といい、H男が飛び

出してA子とB子の前に立ちます。（保育者はA子、B子の所に行き、「お手紙持ってきたの？」と手紙を見ます。）そのとき、O男が「百人乗りだよ。これ!!」と叫び、K男が「百人乗るんだって、早く乗って！先生」と保育者を呼びます。（保育者が「はーい、お姫様も乗りたい？」と聞くと、A子とB子がうなずき、保育者は「お姫様、どこに乗れるかなあ」とつぶやきます。）I男が「ここです。切符ください」といい、保育者が切符を渡すふりをすると「こっちでーす」と自分の座っていた所にB子とA子を引っぱります。保育者とA子とB子は「入れて」といって座ります。

フロアカーに乗っていたY男が戻ってきて、船の外に立っています。Y子がそれに気づき、「Yちゃんおぼれている」というと、H男が走って行ってY男の手を引っぱってきます。Y男も自分から乗りこみ、座ります。

I男は自分の座る所がなくなったので、モルモットを抱いてU男の隣に座り、「ここIちゃんね」といいます。

O男「これ百人乗れるの。こんなにいっぱい。モ

ルちゃんも乗ってんの」といい、K男も「みんな乗れたねえ」と叫びます。

その後

――メダカすくい――

O男の「メダカがいるの」という言葉を受けて、保育者やY子、K男などがメダカを探したり、すくったり、食べたりするふりをします。そばに落ちていたままごとの野菜をK男が見つけて「メダカ」と見たてたところから、I男、M男がままごとコーナーに行って野菜を持ってきて船の外にまきます。それを拾ったり、皿にのせて食べたりします。

――おうちが沈む――

M男の「おうちが沈んじゃう」、I男の「助けに行くぞ」等の動きや言葉から、向かいのままごとコーナーに泳いで行って、ままごと遊具や人形、ふとん等をつぎつぎに船の中に持ち込みます。

――夜です、朝です――

船の中でふとんを敷いて寝たり「朝です」といって起きたりします。

〈学級のようすと保育者の思い〉

男児八名、女児五名の学級です。活発で何にでも興味を持ち、飛びついていく幼児が多くいます。周りの幼児への関心も大変強く、衝動的に飛びついたりかまったりすることが多いので、一人一人がいらだったり、おびえたりしやすく、落ちついて遊べない状態が続きました。

保育者は、多勢の中でも一人一人が安心して自分の好きな動きがとれるように、またいっしょにいる楽しさが感じとれるようにと願っています。

記録の「船ごっこ」は、この日出席していた全員が集まってきました。この中で保育者は次のことを心がけました。

○個々が安心していられる場所をいっしょにさがしたり、「ここはどう？」と誘ったりしました。

○自分なりの見たてや動きを楽しんでいる姿を「いいねぇ」と認めたり、「楽しいね」と共感したりしました。このとき、保育者自身はあまり動き回らず、一人一人の「これ○○なの、見て」「こっちに来て」という動きをなるべくゆったりと受け止めていくようにしました。

○怪獣をやっつけるなどの激しい動きがエスカレートしてきたときには、他の幼児の動きを取り上げて知らせたり、保育者自身が遊ぶ姿を見せたりして、転換を図るようにしました。

十人の船ごっこは、十時三〇分ごろから降園前（十一時二十分）まで続きました。O男たちが始めた船ごっこに、他のコーナーで遊んでいた幼児が寄ってきて狭い場所に集まってしまい、当初、保育者は「せっかくの遊びが壊れてしまうのでは」と懸念しましたが、自分の席にそれぞれが落ち着き、自分なりに見たてて動いたり、他の幼児のおもしろい動きに同調し、繰り返したりして過ごせました。みんなの中で、一人一人が自分なりに楽しめたこの遊びのころから、しだいに周りの幼児といっしょの場でも安心して過ごす姿が見られるようになっています。

（東京都・千代田区立番町幼稚園　中村純子）

事例コメント

遊びや仲間への関心と遊びへの参加

家には玩具がいっぱいあり、母親もじっくり遊び相手を務めてくれ、近くの公園では存分に体を動かすこともできる、といった恵まれた環境であっても、三歳児を終日家庭にとどめておくことはできません。友達、遊び仲間がいないからです。子どもの心にわいてくる仲間への関心は、押さえ込むことができません。けれども、それほど強い要求でも、その表れ方を見ると、その強さがうそのようにも思えます。同じ砂場にいるのに、それぞれがかってな遊び方をしていて、言葉も交わさない。周りでは楽しそうな遊びがいっぱい展開しているのに、保育者に終日まとわりついていて、少しも友達と遊ばない。そんな姿も珍しくありません。三歳児は仲間への関心は強いけれど、仲間と遊ぶのは未熟だといえます。そうした姿をいくつかの観点から拾ってみます。

一人ひとり異なる関心の示し方

さまざまな保育歴をもつ子どもたちが集まって一学級が構成されたときの状態を、

「四月の状況は、新しい環境に、それぞれがとまどいを見せ、落ち着かない毎日でした。新入児たちは、緊張感から、好きな遊びを見つけても、なかなか遊ぼうとしなかったり、最初は平気で、いろいなものや人に関心を示して遊んだものの、一週間目ころより保護者の後追いをするようになって、毎朝、泣くようになったりする子どももいました。二歳児組より進級したメンバーも……」

「新しい仲間が増えたことで、甘えたくても思うように甘えられず、不満が感じられるようになりました」

と述べています。二十名の子どもたちに保育者があれこれと援助をし、一日も早く安定した生活が送れるように動いている姿が目に浮かびます。

そして、ともかく母子分離ができ、不安を示さず園生活を過ごすようになっても、子どもたちそれぞれが示す姿は、一人ひとりがみな異なっています。発達差の全体から受ける印象は、生活年齢を反映しているかのように思えますが、友達への関心の示し方、生活習慣の身につけ方、言葉の使い方や身のこなし方など、一つの観点からじっくりと子どもを観察すると、生育歴や性格や個性などからとらえる必要を感じます。事例⑭の中でも、スクーターの乗り方を見て
「月齢の差より個人の差が認められます」

といっています。このように考えると、三歳児は、といった一律の見方は、十分に吟味していかなくてはならないでしょう。そうすると、仲間への関心を育てる前提として
「保育者の配慮も、子どもたちの遊びや要求・思いを大切に受け止めながら、一人ひとりを把握し、保育者と子どもとの信頼関係をつけることが中心に」

なることを心がけるべきだと思います。

保育者は仲間をつなぐパイプ役

三歳児保育には、生活全般を通して、清潔さや安全などの健康管理や、安定や保護の役割も必要で

す。さらに三歳児は、要求や遊びのイメージをもっていても、それを表したり、実際の遊びに反映する力は十分ではありませんから、友達間に互いの意志を伝えたり、遊びを持続させたり、発展させたりする役割も必要になってきます。

スクーターや三輪車で遊んでいた子が、ガソリンスタンドや信号を要求すると、

「M保育者は早速了解して、鉄棒に縄跳びの縄を片方結び、もう片方の先を持って」

ガソリンの給油係を演じたり、

「保育者は、急いで部屋に戻り、青、赤、黄の色画用紙を、直径二十五センチくらいの大きさに切り抜いて、すばやく要求に応じました」

といったように、遊びに対しての意欲にすぐに応じたり、イメージの具現化を図ることは、その子どもに対して満足感を与えるだけでなく、他の幼児にも遊びの内容や楽しみ方を知らせる役割を果たし、遊びを通しての仲間関係を促すきっかけとなる大切な事がらだと思います。

また、「積み木の船ごっこ」の事例⑲における保育者のY子やB子へのかかわりも意味深いと思います。積み木の船の遊びが活気をもってくると、

「製作コーナーにいたY子が近づいてきますが『おまえ乗んなくていいの』とM男にいわれ、見ています」

けれども、Y子の関心を読み取った保育者は、自分が誘われて仲間に入るときには、「Y子ちゃんも乗る?」ときっかけを作ってやり、確実に仲間入りをさせます。あるいは、ままごとコーナーから保育者へのかかわりを求めてきたB子に対し、船の遊びのメンバーがB子を怪獣に見たてて攻撃をしかけると、

「B子ちゃん怪獣じゃないよね」

と矛先を変える発言をしてやりますし、さらに保育者へのかかわりを友達にも広げるようにと「保育者が『はーい、お姫様も乗りたい?』と聞くとA子とB子がうなづき、保育者は『お姫様、どこに乗れるかなあ』とつぶやきます」

そして、保育者の発言に応じたI男を通じて、ごく自然に仲間入りができる状況を作り出していきます。

この二つの事例を見ると、遊びを盛りあげるうえでも、仲間入りを促すうえでも、保育者が重要な役割を果たしているのは事実ですが、あくまでも主体となっているのは子どもであることに気づきます。このことは、保育者にとって仲間への関心を広げる目的だけでなく、その方法にも留意すべきことを示唆していると思われます。

名前を覚える

「積み木の船ごっこ」の事例⑲では、学級の人数が十三名であるという利点が生かされ、まだ六月という時期なのに、大勢の子どもがつぎつぎとかかわっていく姿が示してあります。特にその中では、M男とU男の仲間意識の強さが印象に残ります。二人の間では、ターボレンジャーの遊びが共通にイメージされていますし、ベルトを腰に巻こうとして、

「U男はM男に『やって』といい、M男はU男の腰に紙を巻くのを手伝うのですが、うまくとめられず『先生やってあげて』といいます」

のように援助を友達に求めるだけでなく、その解決のために、友達に代わって保育者に依頼をするほどです。二人は園だけのかかわりではなく、近隣関係であったり、以前の共通経験が豊かに積んであ

るのではないでしょうか。

　園生活が初めてのかかわりの場合は、自分の好きな場所に行くと出会う顔ぶれがたいてい決まっており、偶然のかかわりが積み重なっていくのが普通でしょう。そして、その偶然がやがては意図的な選択や明瞭な親密さの表現へと育っていきます。ときには、

「ここは、○○ちゃんがくるんだから、だめ！あっちいって」

と一方への親しさが他方への排斥になって現れたりもします。けれども○○ちゃんを選択し、名前を覚えて宣言している姿を大切にしたいと思います。私たちも、あの子や○○組の子ではなく、しっかりと名前を識別したうえでの理解は、その深さが数段違います。三歳児の仲間への関心を考えるとき、名前を知ることの効果や機会を利用したいと思います。

雰囲気からも仲間意識をもつ

　五歳児の遊び仲間は、保育者の側で観察することもできますし、自分たちもメンバー把握をきちんとしています。けれども三歳児の場合は、仲間の区別ははっきりしていません。

　事例⑲の「積み木の船ごっこ」も、また保育者も遊び仲間の一人としてガソリンスタンドや信号を出しての乗り物遊びも、大勢の子が長時間熱中して遊んでいます。しかしだからといって、このとき参加した子どもたちが互いに仲間への関心をもっていて、友達関係が成立しているという見方はできないでしょう。実際、考察の中で、

「群れをなして遊ぶ」

と表現しているのは、この年齢の遊びの特徴を端的に示していると思われます。ですが、友達と近接する場所で遊ぶ、友達と同じ遊具を使う、友達の動きを視野に入れ声を耳にする、といった友達と場

を共有することは、三歳児にとっては十分に友達と遊んだことであり、仲間関係をもったことにほかなりません。三歳児に対して仲間への関心を深めるからといって言葉を交わす、物のやりとりをする、役割を分担するなどを急ぐ必要はないと思います。むしろ、遊び場を共有することで得られる雰囲気を味わう体験を大切にしたいと思います。

「積み木の船ごっこ」の事例⑲においても、遊び仲間の意識が観察だけでは判断が難しいことを示しています。O男が、

「板状の積み木を持ってきて両側に立てかけ、中に入って『船できたよー』と」

叫ぶと

「モルモットコーナーにいたK男が『先生、船できたよー』と教師に伝え、O男の船を見に行き、さっそく座っています」

K男はモルモットの所にいるから、船ごっこには参加していないとみるのは誤っているのです。気持ちのうえで遊びに参加して遊びの雰囲気を感じとっているからこそ、O男の発言を保育者に伝え、ごく自然に船に入っていったのでしょう。三歳児の遊びを観察するときには、こうした場のもつ雰囲気をも考慮する必要を感じます。

イメージを伝え合う

船ごっこのO男のようにつぎつぎと連想を広げていく子もいれば、植木鉢を重ね、落ちてくる泥水でコーヒーを入れているH男もいます。また、おうちごっこでは、いちはやく

「あたしが一番大きいお姉さんよ！K子ちゃんは一番小さいお姉ちゃんね」

と自信たっぷり主張するM子もいれば、積み木の船のイメージをしっかりもって、船から出る友達に

対して「海に落っこちた」や「おぼれている」と想像世界を存分に楽しんでいるY子のような子もいます。

しかし、多くの三歳児は、自分のイメージを頭で思い描いていても、それを言葉で表したり、友達に伝える力は十分ではありません。保育者がしぐさや表情や使っている遊具などから推測し、かかわりを通して探っていくほかありません。ところが、友達といっしょに遊ぶということは、お互いのもつイメージを共有化しないかぎりスムーズに進みません。例えば、U男が遊び始めの段階で「ターボレンジャーすべり台？すべり台？」と尋ねているように、友達の遊びの中の約束ごとを確かめ、それに従おうとします。しかし多くの場合は、なかなか共通化できなかったり、イメージの不一致が遊びの崩壊につながってしまいます。

友達への関心を遊びとして形あるものにし、その遊びの楽しさを仲間関係へと広げるためには、個々のイメージをつなげる仲介者としての保育者が必要となってきます。

（埼玉県・埼玉純真女子短期大学　高橋照子）

理論考察

仲間への関心

はじめに

人は生まれながらにして自ら成長しようとする力を内に秘めています。こうした自ら発達していこうとする能動性があるからこそ、周囲の環境に対しても自ら積極的に働きかけていくのです。こうした能動性は、周囲の人に対しても発揮されることになります。そして多くの場合に、自ら能動的にかかわっていく最初の人は、自分を産み育ててくれている母親となります。母親との間に応答的なやりとりが毎日なされていくことにより、母親に対する信頼関係が成立し、心理的なきずなが形成されていくのです。これがアタッチメントといわれているものです。

多くの三歳児はこうした母親との間に成立している心理的なきずなをもとにして、周囲の友達としだいにいっしょに過ごせるようになっていく時期でもあるのです。しかし、三歳児は自分のしたいことを実現することで手いっぱいであり、したいことが違ったりして友達とぶつかっても、お互いにしたいことを話し合って調節していくことはまだ難しい時期です。そのために、同年代の友達といっしょに過ごせるようになるためには、このような何か困ったことが生じたときにいつでも援助してくれる大人を必要としているのです。

このように友達への関心はすでに乳児期から見られるのですが、大人の援助を受けながら実際に自分の力で友達とかかわっていっしょに遊びを展開できるようになっていくのが三歳児なのです。しかし、三歳児はまだ個人差がとても大きな時期でもあります。親子関係や家庭環境、地域環境などの違いにより、友達と積極的に遊ぶ子からまだ母親と離れられずにいる子まで、実に幅広い状態を示します。でも、大人の援助を受けながらいっしょに遊べる体験を積み重ねることにより、こうした個人差はあっても、また意見の対立やぶつかり合いがあっても、しだいに自分たちの力で過ごせるようになっていくのです。

この章ではまず、仲間に対する関心がどのように育っていくのかを解説し、次に幼稚園や保育所において展開する仲間との遊びや生活の中で何が育っているのかを考えてみたいと思います。さらには、こうした三歳児における仲間関係での体験が、その後の四、五歳児における仲間関係とどのように関連しているのかについてもふれてみたいと思います。

仲間への関心を生み出すもの

母親との信頼関係の形成

子どもが仲間への関心を示し始めるには、母親との間に信頼関係が築かれていることが基本となります。こうした関係が成立していないと、子どもは母親の関心を自分に向けることに精いっぱいであり、周囲の仲間に関心を向けるだけの心の余裕がまだありません。ですから、まずは母親に対する信頼感を抱くことが、仲間への関心を持つための基本的な条件となります。

こうした母親との間に形成される情緒的なきずなのことをボウルビィ（J. Bowlby）はアタッチメント（愛着）と呼んでいます。また、子どもが母親との心理的距離を縮めて、それを維持する行動のことをアタッチメント行動と呼び、それは次のように発達していくと提唱しています。

第一の段階は出生から三か月ころまでであり、人に対する関心はあるのですが、まだ特定の人物に対する関心は弱い時期です。そのために、母親以外の人にあやされても泣き止むことが多いといえます。

第二の段階は三か月から六か月ころまでであり、特定の人物に対する関心が強くなり、特に母親と他の人を区別する行動が多くなってきます。母親に抱かれると安心し、母親を求める行動が多くなってきます。

第三の段階は六か月から二、三歳ころまでであり、家族や母親などのような特定の人物といっしょにいることを求める傾向が強い時期です。母親が移動すると後追いをしたり、母親の姿が急に見えなくなると不安で泣き出したりすることもあります。そのような場面では、他の人があやしても泣き止まないことも見られます。また、家族のように知っている人と、知らない人とをはっきりと区別して接するようになり、見知らぬ人に対しては人見知りを示すようになります。さらには母親などのような特定の人物を安全基地として、周りの世界をしだいに探索していく行動が見られるようになる時期でもあるわけです。

第四の段階は三歳以降であり、母親などのような特定の人とはたとえ空間的に離れていたとしても、心理的なつながりは連続して保たれていることがわかる時期です。そのために数時間は母親と離れていることができますが、母親に会うと甘えたりする行動をとることにより、こうした心理的なつながりを確認することがよく見られます。またこのころになると、相手の行動がどのような目的を持っているかが洞察できるようになり、その目的に合わせた行動がしだいにできるようになります。そのために母親の意図を理解して、自分もその期待にこたえようとする行動も見られるようになります。

母子関係をどうみるか

ボウルビィは、アタッチメント行動の表れ方は、発達的にみると、以上のように変化していくものであることを示したが、アインズワース（M. D. S. Ainsworth）によれば、こうした行動の示し方には個人差があるようです。

アインズワースによれば、一歳ころに母親と離れる場面を観察してみると、大きく三つのタイプに分けられるそうです。第一のタイプは、母親と離れることにはほとんど不安を示しませんが、母親と再会したときに母親に対して拒否的な態度を示します。第二のタイプは、母親と離れることには多少の不安を示しますが、母親と再会するときにはスムーズに母親を受け入れることができます。第三のタイプは、母親と離れることに強い不安を示し、母親と再会したときには母親に対して反抗的な態度を示します。

アインズワースによれば、母親に対するこうしたアタッチメント行動のタイプは、母親の養育態度と関連性があるようです。もし母親の養育態度が不変的なものであるならば、第二のタイプの子どもたちが良好な人間関係を形成していき、仲間関係も良好であることが予想されますが、まだ明確な研究結果は得られていないようです。しかし、一歳児にみられるこのような行動のタイプは、母親の育児態度によって決定されてしまうような、普遍的なものであるという固定的なとらえ方ではなく、母子の間にアタッチメントが形成されていく過程での異なる時期に見られる特徴を示しているというようなとらえ方もできると思われます。その場合には遅かれ早かれ、いずれにしても、第二のタイプのような関係が成立することが、母親を基地として仲間にかかわっていけるようになることになります。

母親への援助のあり方

幼稚園や保育所において、なかなか仲間とうまくかかわることができない子がいる場合に、母親の育児態度に問題があるというとらえ方がよくなされます。アタッチメントの形成が十分になされていないという点からいえば、確かになんらかの問題があるといえるでしょう。でも、そのことは母親一人を責めたてて解決することではないのです。母親自身も家庭や地域の人間関係の中でさまざまな要因に規定されながら子どもを育てているわけであり、こうした関係性の中で母親をとらえることが必要になります。例えば、初めての子や、気難しい子を育てるときには、母親が育児に対して不安を持っていたり自信を失うことがよくあります。また、子どもの育て方をめぐって姑と対立することや、夫との関係がうまくいかないことが原因で育児に専念できないこともあります。さらには、家事や仕事に追われていて十分に育児に当たれないという母親もいます。

このように母親自身も心に余裕が持てない状況に追い込まれていて、それが育児にも影響を及ぼしていることはよく見られる現象なのです。こうした場合には、母親一人の問題というよりも、家庭や地域の問題であると考えることが必要になります。したがって、仲間とうまくかかわれず母子関係に問題があると思われる三歳児がいても、すぐに母親一人の責任というような決めつけをしないように心がけることが求められます。母親もさまざまな関係の中で悩んでいるのですから、家族や近隣の人びととの関係の悩みを聞くことにより、母親といっしょになって問題を解決していこうとする態度が必要なのです。

初めての集団生活

心の基地を作る

幼稚園や保育所に通っている三歳児の多くは、初めて同年代の仲間だけで過ごす集団生活を経験しているのです。特に幼稚園に入園してきた三歳児のほとんどは、これまで家庭で母親によってある程度は保護された生活を送っていたわけですから、初めて集団生活を過ごしながら、これからどのような生活になるのか多かれ少なかれ不安感を抱いています。

そうした不安感を解消してくれるものが、幼稚園の生活において自分の安心できるものと出会うことです。その最も大きなものが、信頼できる保育者との出会いなのです。母親と離れていても、困ったときには母親と同じように頼ってよい大人がいるということは、幼児にとって大きな安心感につながります。また、失敗しても保育者がそれを暖かく見守ってくれることにより、幼児は自分がありのまま認められていることを感じて、安心感を抱きます。このように保育者から適切な援助を受けたり、暖かく見守ってもらえることを通して、三歳児もしだいに不安感が少なくなり、園生活にも余裕が出てきて仲間にも目が向いていくことになります。

三歳児の不安感を少なくするには、自分の好きな遊びや慣れた遊びを見つけることも大事です。家庭で親しんだ遊具や絵本、好きだった歌や音楽などに出会うことにより、これまでの家庭での生活経験を園生活にも生かすことができることがわかると、三歳児はずいぶんと安心するものです。そして、園生活にまだ慣れていない初めのころには、それまで家庭で親しんだり好きだった遊びをすることにより、なんとか安心して過ごせるようになっていきます。

また、これまで家庭ではあまり触れることのできなかった動植物や遊具や素材などに出会い、それに自由に触れることができることも、三歳児にとっては園生活が楽しみの多いものになり、不安が解消されることにもつながっていきます。でも、初めて触れるときには、どのように触れたらよいのかわからない場合もあります。こうしたときには、保育者が手本となって触れ方や使い方などを示すことにより安心させることが必要となります。

さらに知っている友達がいっしょにいることも、三歳児にとっては安心できることになります。クラスに何人かこうした友達がいれば、それまで近所で慣れ親しんできた遊びを園でも展開して安心して過ごせることになります。そうした友達関係があると、初めから活発に遊ぶ雰囲気が生み出されてくるために、クラス全体が明るく楽しくなり、不安感が和らぐことにもなります。したがって、こうした仲よしグループができるように、三歳児のクラス編成を工夫することも大切でしょう。

仲間への関心の芽生え

三歳児クラスに入った初めの時期は、まさに仲間への関心の芽生えの時期といえます。入園前から知っている友達がいる場合は別として、初めて出会う仲間には何という名前の子がいるのか、またどのような子なのかにとても関心があります。同じ名前や似た名前の子がいると、その子に興味を示すこともあります。また自分の周りにいる子がどんなことをしているのかもよく見ているものです。あの子はもう自分の好きな遊具で遊び始めているけれど、こっちの子はまだときどきは先生にしがみついていないと不安そうだというように、周りのようすを見回しながら、しだいに自分のできそうな遊びやいっしょに遊べそうな子を見つけていきます。

こうして、初めのうちはどの子と仲よくなれるか不安が強いものですが、何日か過ごして周りの子たちのようすがわかってきて安心感がもてるようになると、何をして遊ぶか自分なりに少しずつ期待が持てるようになってきます。こうして自分のしたいことがはっきりしてくると、そうしたことをしている子のそばに行ったり、そうした遊具のある場所に行ったりします。

でも、すぐにそこで仲間になったり、いっしょに遊べるわけではありません。先に遊び始めている子が、だれか他の子と意気投合してしまったような場合には、そこに加わろうとしてもなかなか入れないこともあります。そんな場合には、その子たちのそばで一人で過ごすこともあります。でも多くの場合には、興味の似かよった何人かの子どもたちが同じようなことをして過ごすものです。そのうちにお互いに相手に対して安心感が出てくると、だれかれともなく言葉を交わすようになっていきます。こうした気の合う仲間がしだいにできていくものです。

また、子どもたちの中には同じことに関心を持っていて、ある子がある遊びを始めるとすぐにいっしょにそれをやりだす子もいます。男の子ですと『○○マンごっこ』、女の子ですと『ままごと』などがその代表的な遊びです。こうした遊びが始まると、必ず何人かの子どもたちが参加しますので、遊具の取り合いが生じることがあります。そうしたことを避けるためには遊具をいつもより種類を多めに置いたり、また人気のあるものはできるだけ同じものを多く置き、それをめぐって対立が生じないように工夫するなどの配慮が必要になります。

こうして興味や関心を抱いた遊びや遊具などを媒介にして、初めて出会った三歳児たちもしだいに気の合う仲間ができるようになり、いっしょに遊べる時間も長くなっていきます。

仲間とのかかわり

保育者を心の安心感の基地にしながら、仲間といっしょに過ごせるようになっていく三歳児にとって、次の問題は、仲間とのぶつかり合いをどのように乗りこえていくかということです。

仲間とのトラブルの原因

仲間と遊び始めたばかりの三歳児にとっては、ちょっとしたことがトラブルの原因になります。いまこうした原因を斎藤（一九八六）の分類に従って概観してみることにします。

一番多いのが物や場所の専有をめぐるものです。だれかが最初に使っていた物を、他の子が自分でも使いたくなり無断で取ってしまうような場合に、その物の専有をめぐってトラブルとなります。「それは私が使っていたものよ」という主張と、「私だって使いたいのよ」という主張とがぶつかり、なかなかお互いに譲れないものです。そのうちに力づくでその物を取り合う場面も出てきます。こうした専有をめぐる争いは、場所をめぐってもよく生じます。特に砂場やままごとコーナーや積み木コーナーなどは、どの子にとっても使いたい場所なので、後からきた子どもがなかなか使えないことにもなります。そうしたときに、最初に使っていた子どもたちが後から来た子どもたちに対して、専有権を主張することがよく起こります。「ここは私たちの場所よ」「ここはさっき私たちが使っていた場所よ」「ずるいよ、私たちにも使わせてよ」というように対立し、いっしょに過ごすことが難しいときがあります。

二番目に多いのが、他の子からの働きかけをめぐって生ずるトラブルです。三歳児は仲間と遊びたいという気持ちは持っているのですが、どのように相手とかかわればよいのかはまだよくわかりません。そのために、本人としては好意的にしたことが、かえって相手の誤解を生むこともあります。

例えば、物の専有をめぐって取り合いになり、相手を強く押したりしたことが、相手にとっては暴力的に攻撃されたと感じられてけんかになったりすることがよくあります。また、自分が楽しかった遊具を、相手も楽しめると思って無理に押しつけたりしたことが、かえって相手のじゃまをする結果になってもめる原因になることもあります。あるいは、何とかマンごっこのヒーローになりきってい て、ふざけすぎてつい相手をたたいてしまったりしたことがけんかの原因になることもあります。さらには、「ねえ、なにしてるの」というような、なにげない言葉かけが、相手の気にさわってトラブルの原因になることもあります。このように三歳児では、働きかけのちょっとした誤解が原因になって、けんかにまで発展してしまうことがよくあります。

三番目には、約束事をめぐる原因があります。その中でも最も多いのは、園やクラスで決まっている規則をめぐるものです。例えば、クラスでは外から部屋に戻るときには必ず手を洗うという約束をしているにもかかわらず、ある子が手を洗わずに入ってしまい、それを他の子にとがめられたことが原因でけんかになることもよく生じます。また、合言葉をいったら仲間に入れるというように自分たちである約束事を決めてあるような場合に、だれかがそれを守らない場合には、そのことが原因となって仲間どうしでもめることにもなります。

四番目には、遊んでいるときのイメージのずれが原因でもめることがあります。三歳児は、友達と遊べるといっても、まだお互いに自分のやりたいイメージが強くて、遊びを展開するうちにお互いのイメージが食い違ってしまうことがよく起こります。また、そのことが原因でもめることにもなります。

例えば、ある子がテレビのヒーローのまねをしたところ、そのしかたが違うと他の子に指摘されて、ヒーローのイメージをめぐってどちらが正しいかともめることがあります。それは、宇宙船のようなものを作ったときに、その宇宙船のイメージをめぐってもめることなどもこのことと共通する原因です。こうしたイメージのずれは、個々の子どもの生活体験の相違からも生じてきます。例えば、ままごとをしていて、ある子が朝食にご飯を出したところ、別の子が朝食はパンだと主張してもめたりしますが、これは朝食に対するお互いの生活経験のイメージがずれているために生じたもめごとになります。

五番目に、遊びの内容や役割などの決定をめぐってのトラブルがあります。だれがどの役になるかを決めるときに、お互いに自分につごうのよい方法を主張してもめたりします。また、決めたあとも納得できない子がいると、その決め方をめぐって「ずるい」「ずるくない」などと再びもめたりします。

六番目の原因としては、偶然によるトラブルがあります。たまたま廊下でぶつかってしまったりしたことが原因で、そちらが悪いと非難し合ってけんかになったりします。

このように三歳児のいざこざの原因は、ささいなことが誤解を生んだり、お互いの主張やイメージのずれを調整できないことから生じたり、さらには約束やその決め方などをめぐるものであったりします。ですからこうした原因は、時間がたつにつれてしだいに変化してきます。初めのころには他の子からの働きかけをめぐるいざこざが多いのですが、しだいに減少していきます。逆に、イメージのずれをめぐるいざこざはしだいに増えていきます。こうした変化が生ずるのは、仲間でいっしょに過ごすことにより、お互いの行動がしだいに理解できるようになって誤解が減少していく反面、遊びの内容が豊かになるためにしだいにイメージのぶつかり合いが増えていくためでもあります。それは三歳児の遊びの内容が発達している証拠でもあるといえるでしょう。

トラブルの解決

では、三歳児はこうしたトラブルをどのように解決しているのでしょうか。このことについて、やはり斎藤（一九八六）の結果を参考にしながら述べてみましょう。

まだ自分たちでいざこざを解決することが難しい三歳児にとって、一番頼りになるのはやはり信頼する保育者です。自分の使っていた物を他の子に取られたとき、また取り合いやいい合いからけんかになり泣きだしたときなど、保育者に助けを求めてきます。そんなときに保育者は双方のいい分を聞いたあと、なんとか双方とも気分を取り戻せるように配慮します。また、保育者が子どもたちだけでは解決できないと判断した場合には、積極的に仲裁に入ることもあります。でも、こうした仲裁に入るタイミングはかなりの配慮が必要であるといえます。自分たちでなんとか解決できる場合や、もめていてもさほど問題がない場合には、しばらくようすを見守ることが必要ですし、仲裁が早すぎたり、仲裁が多すぎたりすると、子どもたちはしだいに保育者に依存しすぎるようになってしまいます。

三歳児のいざこざの終結で最も多いのは、一方の子が不満を示したり攻撃しかけても、もう一方の子が無視したり、無抵抗であったり、あるいは抵抗したとしても一度だけ反抗して後は抵抗しなかったり、泣きだしてしまったりすることです。こうした場合には、しかけた子の一方的な働きかけで終結してしまい、双方のぶつかり合いはほとんど生じません。そのために、本当の意味での解決になっているとはいえませんが、まだ仲間とかかわってやり合う経験の少ない三歳児においては、相手とやり合って自分を主張するだけの強い気持ちと自信がないのでしかたない面もあるのです。

では、相手とやり合うことができれば解決できるかというと、三歳児にはそれもまだ難しいようです。相手といろいろとやり合って話しはするのですが、どちらかが自分の非を認めて謝ったり、相互に理解できて仲直りしたりというところまではいかずに、物別れのままになってしまったり、いつの間にか自然に消滅してしまうことが多いのです。でもこれは、お互いに自分の考えを話したり、相手の話しを聞いたりすることがまだ十分にできないことにもよります。

また、三歳児でよく見られる解決の方法には、自己主張の強い子やけんかの強い子に服従するという終結のしかたがあげられます。必ずしも納得してはいないのですが、いい合いになったり、けんかになったりするとどうしてもかないそうにもないので、強い子のいいなりになるという形をとるわけです。こうした解決の方法をとることは、保育者として望ましくないということで、強い子をしかりたくなります。しかしたとえしかったとしても、保育者の見えないところではまた同じような終結のしかたをしているわけですので、しかって無理にやめさせようとするよりも、弱い子を励まして自己主張できるように配慮していくことが大切です。

こうして、保育者からみると、あい味な解決のしかたを繰り返しているように思えますが、三歳児なりにこうした経験を積み重ねながら、しだいに相互の話し合いによる理解ができるようになってきます。

仲間とのかかわりの中での育ち

以上のように三歳児は仲間とかかわるなかで、いろいろなことが原因でもめることになり、またさまざまな終結のしかたを経験していくわけです。こうした経験を通して、三歳児にはどのような力が育っていくのでしょうか。次にそのことについて考えてみたいと思います。

言葉やイメージの広がり

三歳児はまだ、自分の思いを言葉を用いて伝えることがあまりうまくできないといえます。でも、仲間とかかわって遊ぶなかで、しだいに言葉を適切に用いることができるようになっていくのです。仲間とかかわって遊ぶときに、最も問われてくるのが言葉やイメージを共通化するということです。家庭での遊びでは、大人の側で自分に合わせてくれましたが、仲間関係ではそうしたことは通用しません。おのおのが自分を主張し合いますし、イメージが合わなければそれを指摘されます。でも、こうしたぶつかり合いがあればこそ、お互いに共通して理解できる言葉を使うようになっていくことにもなるわけですし、共通したイメージをもって楽しむことのできる遊びが増えていくことにもなるのです。

物事に対する見方や考え方の広がり

幼稚園や保育所において、他の三歳児たちの生活のしかたや行動のようすなどを見ることは、三歳児にとってはとても大きな影響力を持つものです。それまでの自分の家庭や近所を中心とした生活においては、物の見方や考え方は自分のかなり限られた生活経験の中で形成されているために、かなり限定されたものでした。そのために、例えば、きれい好きな親に育てられた三歳児は、遊んで汚すことは悪いことであると思い込んでいたりします。その反対に、少しくらい汚れても元気に遊ぶことが大切と思っている親に育てられた三歳児は、遊んで汚してもまったく気にしません。

このようにおのおのの家庭において、さまざまな物の見方や考え方で育てられてきますので、三歳児クラスに入ったころにはまだ一人ひとり多様なとらえかたをしているといえます。しかし、園生活を共にしていくにつれて、必ずしも自分の育ってきた家庭の見方や考え方が唯一のものであるとは限らないことに気づいていきます。自分の家庭ではこうするけれど、他の家庭では必ずしもこうするとは限らないというような、物事の見方や考え方が少しずつできるようになっていきます。

こうした広がりは、遊びの中で特に見られます。幼稚園や保育所には、家庭にはないような設備や遊具、動植物や素材などがたくさんあります。そうしたものとの出会いにより、家庭ではできないような体験をすることができます。初めてジャングルジムに登る子もいるでしょうし、初めて大型積み木に触れる子もいるでしょう。また、初めて泥んこになって遊ぶ子もいるでしょうし、初めて飼育動物に触れる子もいるでしょう。こうした初めての体験をするときに、子どもたちにはどうしても抵抗感が出てきます。でも、周りにそうしたもので遊ぶ仲間がいることにより、自分でもそうしたものに触れてみようという意欲がわいてくるのです。そして保育者の援助を受けながら、自分でも思い切って触れてみることになります。そうした体験を積み重ねることにより、三歳児は仲間とかかわる中でいろいろな物事に対する見方を広げていきます。

人との関係性の広がり

三歳児にとって、幼稚園や保育所において安定した情緒のもとで集団生活を送ることを経験することは、自分がいろいろな人とかかわっていけるのだという自己に対する信頼感を抱けることにもつながっていきます。幼稚園や保育所では、家庭や近所で出会う友達よりもはるかに幅広い仲間に出会うことになります。

近所の友達付き合いでは、ほとんどの場合に気の合う友達と付き合うことになりますが、園の集団生活ではそうはいきません。いつもいばっているけんかの強そうな子から、なかなか仲間に入れない弱々しい子まで、実にさまざまな仲間といっしょに付き合っていかなければなりません。特に食事の時間や集団活動の時間などには、こうした子どもたちといっしょの活動をすることもあります。そうした場面において、保育者の援助を受けながらも自分の力でいっしょに過ごしていけるようになることは、いろいろな子がいるけれども自分は相手に応じてどの子ともかかわっていけるという、仲間との関係性が広がっていくことでもあるのです。三歳児において、こうした仲間に対する関係性が広がることは、その後の人間関係の育ちにも大きく影響してきます。

見通しと予測性の広がり

仲間とかかわって遊ぶなかで、三歳児にはいろいろな力が育っていきます。三歳児の仲間遊びを見ていると、気の合った友達と同じようなことを何回も繰り返す遊びをしています。この遊びは、一見すると同じことの繰り返しのように見えますが、よく見ていると、三歳児なりに遊具を増やしたり、場所を変えたりして遊び方にバリエーションをつけることにより、少しずつ遊びを変化させて発展させていきます。大人からみればたいした変化には見えないのですが、三歳児にとってはとても大きな進歩なのです。

仲間と楽しく遊べたときに、次もその仲間と楽しく過ごしたければまったく同じことをして遊べばよいわけです。こうした見通しをもって、三歳児は仲間に「あれして遊ぼう」と提案します。初めのうちはこうした提案は賛同を得ることが多いのですが、同じことを何回か繰り返しているうちに、しだいに飽きてきて楽しくなくなってきます。こうした場面で、その楽しく過ごせた経験を保持していくためには、その遊びを変化させて新たな楽しさを付け加えていく必要性が出てくるのです。そこで三歳児なりに、これまでの遊びの楽しさを失わずしかも新たな楽しさを加味した遊びへと変化させていくことになります。それはほんのちょっとした変化かもしれません。それは、あまりに大きく変化させてしまうと、これまでの楽しさがまったく失われてしまうことになるためなのです。

このように遊びを少しずつ変化させ、楽しさを失わずに新たな楽しさを加味することにより、仲間関係を維持していく方法を学んでいるのが、三歳児の仲間遊びであるともいえるのです。したがって、三歳児の仲間遊びでは、そろそろ飽きたのでこう変えたらだれかちゃんは喜ぶかなあ、ああしたらもっと楽しくなるかなというように、遊びを見通したり、仲間の気持ちを予測したりすることが育ってきます。

（東京都・文部省　柴崎正行）

第三章　周囲の世界への探索としての遊び

(一) 保育室の前で飼っているカメとのかかわりから

者のそばに寄ってきてカメを見たり、そおっとカメの甲羅に触れたりするなどの行動が見られるようになってきました。

実践事例⑳

カメ

六月初めに、三歳児の保育室の近く（だれもが必ず登降園の際に通る場所）に、年長児の学級からカメを連れてきて置いておきました。（大きいたらいに大きいカメを二匹、小さいたらいに小さいカメを三匹）

絵本やテレビ等から、それがカメだと知っている子どももいると思うのに、一週間ほどはだれもカメに触れようとはしませんでした。ところが、子どもがいる前で、えさ（ソーセージを切ったもの）を与えたり、水換えをしたりしていると、そのときの保育者のカメを取り扱う姿を見て安心したのか、保育

「危なくないよ。小さいから、きつく回し（動かし）たらいけんよ」

最近二人で遊ぶ回数が多くなったY子とH子が、かがみ込んで一つのたらいの中へカメを全部入れています。

Y子　「こっちは大きいかなあー」（二つのカメを比べている。）

H子は、カメを上から押しつけて、回したり、押したりしています。

Y子、H子がそれぞれ、一匹ずつカメを持ち「ヨーイ、ドン。ダダンダダーン」と、声をあげながら、

たらいの中を滑らせます。

H子　「お顔がないままで動いているよ」

体格の大きいY子が、「小さいから、これ持ったら(小さいカメを示す)、気をつけてね。危なくないよ。小さいから、きつく回したらいけんよ。やさしくするのよ。ヨーイ、ドン。ダダンダダーン！」

二人でカメを動かし続けています。突然、H子が一番大きいカメを指しながら、「これ、お父ちゃんよ」というと、すぐにY子が「これ、お母ちゃん」、H子が「これは、子どもよ」と、つぎつぎに命名していきます。


この場面におけるY子の言葉からもわかるように、子どもは、実際にカメに触れ、いろいろ試みる中で、親しみを持ちます。また、どうすればカメにとって心地よい喜ぶことなのか、反対に、嫌なことなのかを肌で感じとっています。親しみを持つと、カメをもっとよく見ようとします。そして、よく見るようになると、つぎつぎと発見や疑問が起きてくるのです。

「これ、お父さん、お母さん、ぼく……」

この日は、一つのたらいの中に大、中、小の五匹のカメが全部いっしょに入れられていました。保育室から出てきたH男、Y男、S男の三人がカメの所へ近づき、最初立って見ていましたが、しゃがみ込んでじっと見始めました。その中のH男が、カメを指さしながら「これ、お父さん（一番大きいカメ）、お母さん（二番目に大きいカメ）、ぼく……H男（三番目に大きいカメ）」と命名し始めました。他の二人は、じっと見ています。四番目のカメに「これは、赤ちゃん。きょうすけ……」このへんから声が小さくなり、残っている一匹のカメをじっと見ていましたが、「赤ちゃんが二人なんだ」

六月初めより、年長児の学級からもらってきたカメを、毎日、朝来たときと帰るときには見ていました。しかし、一つの容器の中に大きさの違うカメが全部入っているのを見たH男にとっては、今までのカメがいるという大ざっぱなカメのとらえ方から、カメ一匹、一匹に対して関心が向けられたものと思われます。

すぐに自分の家族のことを思い起こし、家の中で一番大きいのはお父さん、次はお母さんというように、身体の大きさが違うと呼び方が違うことを経験から引き出し、容器の中で一番大きいカメはお父さんカメ、次はお母さんカメ、そして自分、それより小さいのは弟の恭介（11か月）の赤ちゃんと、カメに大きさの順に命名していったのです。ところが、自分の家族が全員あてはまったにもかかわらず、一匹カメが残りました。H男の生活経験からは、すぐには答えが出せず、困惑しました。

H男に限らず、この年齢の子どもは、自分の経験を基準にして、周囲のものを理解していこうとします。最終的には、赤ちゃんを二人にするという、自分の経験の中で知っていることすべてを使って考え、自分なりに納得できる解決をしています。

「お耳がないの?」

S子が与えたソーセージの中の一片を、二匹のカメが両方からかぶりつき、引っぱり合いの状態になりました。それを見たS子「取り合いはダメよ。（他のえさを指さし）ここにあるのに」それでも、一つのえさを引っぱり合うので、今度はかがみ込んで手でカメをつつきながら、「取り合いはダメよ。ここにあるよ」と教えます。しかし、一向にカメはかんだえさを離そうとしません。

S子は、保育者を見上げて、「ねえ、いけないのよね。取り合っちゃあねえ。聞こえないのかな。お耳がないの？」

S子は、二人姉妹の長女です。ふだんから自分の要求を出すけれど、我を張って人と争うということはあまりしない子どもです。おやつを分けるとき、妹と仲よく分けて食べることがよいこととして教えられてきているのでしょう。そういうS子にとって、一片のソーセージを取り合うカメの行動を黙って見過すわけにはいきません。

カメも、自分と同じように物を欲しいと思ったり、がまんしたりすることができると思ったのでしょう。カメにも自分と同じような考えや感情があるのだと考え、一生懸命に教えてやっています。自分の今までの経験の中で知っている言葉、方法で一生懸命にカメに対処しています。そして、カメが行動を変えない理由として、これまた自分の経験から〝聞こえないからだ〟と考え、聞こえないのは〝そうだ、耳がないのかもしれない〟という理由を見つけ出しています。大人からみると、自己中心的な考え方にみえますが、新しい事実に気づいて疑問をもち、なんとかそれを解決する理由を見つけ出そうとする探求心の現れといえるでしょう。このような経験が、のちの認識の広がりや思考の土台となるのです。

（岡山県・岡山大学教育学部附属幼稚園　森元真紀子）

(二) ものへの興味から生まれた遊び

実践事例㉑

アメンボ

プール掃除の際、一人の五歳児がプールにいたアメンボをもらいました。そのアメンボを水の入ったナイロン袋に入れて、三歳児のクラスに見せにきてくれました。

翌日から、三歳児のクラスでは、アメンボをめぐっていろいろの遊びが展開していきました。

A子とM子の二人が、保育者にナイロン袋を要求し、水道の水だけをいっぱいにして、「アメンボ」「アメンボ」と喜んでいます。それを見たY子、O子ら六人の子どもたちが、つぎつぎとナイロン袋に水だけを入れて、「アメンボ」「アメンボ」と持ち歩き始めました。

三十分ほどそのようにして遊んだあと、その中の一人のH子が、水の入ったナイロン袋を頭に置いて「お熱だ！」と叫びますと、残りの子どもたちもつぎつぎと頭にナイロン袋を置き、「お熱だ！」「お熱だ！」と大声で叫びながら、園庭を歩き出しました。

この日以後、一学期末までだれかがナイロン袋に水を入れて持ち歩き、最後には、口の部分を結んで家へ持ち帰ることが続きました。

入園式の翌日以来、いろいろお世話をしてくれた五歳児から、アメンボが入っているナイロン袋を見せられたことは、三歳児の子どもたちには印象的な出来事だったようです。翌日から、ナイロン袋が要求され、水を入れては「アメンボ！」「アメンボ！」

と喜んで持ち歩く子どもたちが現れているのですが、子どもたちにはアメンボの姿が見えなかったのか、アメンボという生き物を見たことがなかったのか、不思議なことに、どの袋にもただ水が入っているだけです。きっと、彼らには水面に浮いていた細い線状の生き物よりも、ナイロン袋に水が入っている形のほうが強く視覚に映ったのと、五歳児が持っていたのと同じ物を持ちたいという興味や関心から、このような姿が見られたものと考えられます。

大人からみるとおかしいのですが、この年齢の子どもは、自分の感覚や経験を基準にして周囲のものを理解しているので、このような現象がみられたものと思われます。

最初は「アメンボ」から始まったナイロン袋を持ち歩く活動も、それ以上アメンボそのものへは意識が向かず、ナイロン袋に水が入っている状態や形、その感触に関心が移り、熱が出たとき「冷やすもの」へと子どもの意識が変わっています。

大人にとっては何でもない水の入ったナイロン袋ですが、熱が出たとき冷やすものに見たて、そのものを使っているつもりで活動が展開されていっています。この年齢の子どもは、見たても単発的ですし、その子ども独自の経験に強く影響されることが多いのですが、ここでは大勢の子どもたちにそれが現れたようです。自分の感じたことをそのまま表現して、十分に遊ぶことを大切にしてやりたいと考えます。

実践事例㉒

先生、羽根！前と違うの

登園した三歳児の五、六人の子どもたちが、保育者の周りで出席シールをはっているると、「先生、先生」と、H子が息を弾ませてやってきました。

「先生、羽根！」と、人差指と親指で挟んだ黄色の小さな羽根を一枚見せるので、「きれいだね」といってやると、「先生、あげる。なくさないでね」といってからシールをはりに行きました。

三日後、「先生、先生、羽根！前と違うの」と水色の羽根を見せ、「前のは？」というので、三日前預かった羽根を出してやると、「ね、違うでしょう！」と、目を輝かせて保育者を見るのです。

周りの子どもたちが見ようとすると、「H子が見つけたのよ。あそこ！来てごらん」と、小鳥かごのある場所へ誘導し、しばらく羽根拾いが続きました。


H子にとっては、小さなすぐにも飛んでいってしまいそうな黄色の羽根（インコの羽根）を発見したことは、新鮮な驚きだったのです。

まず、その驚きを、この時期としては一番身近かな保育者に伝えようとしています。そして、その形やさわってみた感じから、なんとなくすぐなくなりそうな感じがしたからでしょうか、それを紛失しないように、いつまでもとっておいてほしいという願いを添えて、保育者に手渡しています。

三日後、H子は第二の驚きに直面したようです。この前と同じ場所で見つけた羽根であるのに、色が違うのです。新しい発見です。実際に三日前に拾ったものと比べる試みまでしています。そして、自分の想像と合っていて大満足のようです。この満足がまた羽根を探してみようとする意欲を引き起こしています。

このように、子どもは新しく出会うものに新鮮な驚きをもって対処します。そして、今までの経験と違うことに気づくと、その子どもなりの方法によって、試したり、調べたりします。このとき、大人は子どもの驚きや発見に共感していくことが大切でしょう。
こうした大人の支えが、「おや、何だろう」という子どもの驚きや「なぜ？」という疑問から、物事を理解しようとしたり、自分で納得いくまで調べたり、試したりしようとする意欲を高めていくことにつながるのです。

実践事例㉓

うん、きれい?

三歳児の女児五人が、カタバミの花が咲いているのを見つけました。A子はその花を一本抜いて、エプロンのポケットに入れます。Y子とH子は、ティッシュに花の部分だけを包み込んでいます。S子は花と友達の行為をじっと見ています。根元から抜いていたR子が、突然保育室へ戻り、「先生」と握りしめていた手を広げて見せるのです。手の中には、握りしめられてしおれかかった状態のカタバミが五本並んでいます。

「先生に?」と問いかけると、顔を上げて「うん、きれい?」と問い返します。「きれいよ。ありがとう」と、ガラスびんに差すと、再び友達の所へ戻っていきました。

三歳児のころは、一般に「探索時代」といわれるほど、いろいろなものと出会い、探索しながら周囲の世界を知っていきます。いろいろなものとの出会においては、子どもが喜び、感動して取り組めるような配慮が大切になると考えます。

同じ環境におかれても、子ども一人ひとりの取り組む姿は同じではありません。その個々の子どもの取り組みを認め、見守り、その子どものやり方で、出会って驚いたり、喜んだり、発見したりすることが大切なのです。

ここでは、R子の感動に素直に共感してやり、生命あるものへの対処のしかたの一つとして、その花をガラスびんに生けてやったのです。自分が頼りにしている先生も、自分と同じように〝きれいだ〟といってくれた。そして、大事にしてくれたことに満足感を得、このことがもっと集めようという意欲につながっていったものと思われます。このようにして、環境を確かめ自分の世界を広げていくのです。

「先生!」

入園してまもないころですが、K男が、朝、保育室へ入ってくるなり、黙って握りしめた右手を保育者に突き出します。

保育者が両手を差し出すと、その上に黄色のタンポポの花が一本落とされました。保育者が「まあ、かわいい！先生に」といってK男の顔を見ると、K男はほっとした表情で、出席シールをはりにいきました。


子どもは、感動体験をもつと、それをなんらかの形で外に表現して、身近かな人に伝えようとします。K男の場合、特に入園してまもない時期なので、自分の出会う相手である保育者が、自分を受け入れてくれる存在であるかどうかを動物的感覚で探っているのかもしれません。

保育者のところまで必死の思いで握りしめて持ってきたタンポポを、保育者が喜んで受け取ってくれたことに安心感を抱いたのでしょう。言葉による触れ合いはほとんどないのですが、K男はその後何回も、登園途上で見つけたかわいい花（必ず一本）を差し出し、それに対する保育者の反応をじっと待つという場面が見られました。

K男にとっては、タンポポをはじめとする自然物は、それが何であるかという科学的知識を得る対象物としてではなく、保育者が自分の味方であるかどうかを判断するものなのです。保育者が味方であることがわかると、次には保育者とかかわりをもとうとして働きかけるための媒体なのです。

子どもたちは、保育者に登園途上で見つけたいろいろなものをくれます。ここで大切なことは、「今、この子は何を訴えたいのだろう。何を知りたがっているか」ということを考えて、その子どもに対応していくことなのです。


（岡山県・岡山大学教育学部附属幼稚園　森元真紀子）

事例コメント

周囲の世界への探索としての遊び

三歳児の年齢に「探索」という言葉を重ねるとき、どのような状況が想像されるでしょうか。多くの人は、大人からいえば「いたずら」と呼ばれる姿を想像するのではないでしょうか。

金魚鉢に手を入れてかき混ぜる、洗濯機の中に洗剤を一箱入れる、母親の化粧品を持ち出して使う、ライターの火をつけようとするなど、子どもにとってはおもしろく、興味がつきない夢中になる遊びだけれども、大人には困った事態、そうした場面だと思います。

ここにあげられた事例は、子どものための生活が保障された幼稚園でのものですから、いたずらと呼ばれたり、大人にとって困るといった状況ではありません。けれども、子どもが興味を示し、真剣に対象とかかわっている、まさに三歳児らしい探索の姿が示されています。

しかし、どの三歳児もおしなべていたずら好きで、興味のあるものに夢中になるとはかぎりません。探索としての遊びが展開するために必要な条件があります。こうした条件を事例から考えてみたいと思います。

探索の基盤となる情緒の安定

子どもが探索行動をとるためには、情緒が安定していることが必要です。一週間近くカメに触れようとしなかったカメとのかかわりの例が、そのことを端的に表しています。一週間近くカメに触れようとしなかった子どもたちも、「保育者のカメを取り扱う姿を見て安心したのか、保育者のそばに寄ってきてカメを見たり、そおっとカメの甲羅に触れたりする」ようになってきます。保育者が実際にカメとかかわっている姿は、カメの魅力をアピールしています。「先生があんなにおもしろそうにしているのだから、ひょっとするとカメっていうのはおもしろいかもしれない。こわくないんだな」という気持ちを引き起こします。そうした興味の芽も「保育者のそばに寄って」いるからこそ得られるのであって、自分一人で近づくほどではありません。ここに三歳児の特性としての探索の姿がよく現れていると思います。好奇心は旺盛ですが、それもいざというときには逃げ込む庇護者あってのことなのです。人見知りをするころの乳児が、母親の胸に顔をうずめながら、興味のある物にそろそろと手を伸ばしていく姿と基本的には同じ気持ちといえるでしょう。

探索行動の育成にあたって、ややもすると能動的なかかわりや知的好奇心を先行させるあまり、この情緒の安定をおろそかにしがちですが、探索の根底にある大切な要素として、子どもの安定感を保障したいと思います。

象徴的・表面的なもののとらえ方

一つの探索行動から得られた充実感は、また新たな好奇心や意欲を引き起こし、さらに探索を深め、広げます。また、この年齢での探索は自分の五感を総動員しての直接体験です。

「子どもは、実際にカメに触れ、いろいろ試みる中で親しみを持ちます」

「親しみを持つと、カメをもっとよく見ようとします。そして、よく見るようになると、つぎつぎと発見や疑問が起きてくるのです」

と事例を通して考察しているように、子どもの探索は、相乗的に広がっていきますし、体験から学びとることは重要です。しかし、こうして得た発見や知識は、必ずしも科学的に正しいこととはかぎりません。例えば、アメンボの事例㉑にあったように、理解のしかたは印象的・表面的です。

五歳児がアメンボを水とともにナイロン袋に入れて見せに来たことをきっかけに、三歳児は、単に水を入れただけの袋を「アメンボ」と呼び、さらに形態から氷嚢に見たて「お熱だ」の遊びへと変わっていきます。ですから、子どもたちは「氷嚢」の名称に代わって、誤って「アメンボ」と覚えてしまっているのかもしれません。

しかし、真理や事実を教えたり、解き明かすことを急ぐ必要はないと思います。むしろ、伏線となる多様な経験をいくつも積み重ねておき、あとになって系統的な一つの理論として学習することが大切だと考えられるからです。将来的には否定される誤った認識であっても、状況が鮮明に思い出されるほど強い体験であることのほうが重要でしょう。ですから、この事例にみられるように、繰り返し「アメンボ」とナイロン袋を要求してくる子に、にこやかに応じていく保育者の姿勢を大切にしていきたいと思います。

自分の経験を基盤にする

子どもは、対象に直接触れ、あれこれいじったり試したりすることを通して多くのことを学びとります。はた目でみると無目的にかかわっているかのように思えますが、よく観察すると決してそうではなく、子ども一人ひとりが自分の経験を基盤にしていることがわかります。

このことは、五匹のカメに対し、自分の家族を対応させているH男の事例が示しています。目の前の状況の理解をするために、自分が以前に見たり聞いたりしたこと、獲得した知識や技能をもとにして、解決を試みたり、洞察したりします。自分がそのときまでに作り出したその子なりのモノサシでものごとをとらえようと努力します。しかし、そのモノサシがあまりにも個人的ですから、観察者の側には探索の姿は無意図的に映ります。

ですから、自分の家族数より多いカメに遭遇して

「H男の生活経験からは、すぐに答えが出せず、困惑しました」

という読み取りや、

「自分の経験を基準にして、周囲のものを理解していこうとします」

という考察はその通りだと思います。しかし、えさを取り合っている二匹のカメに言葉をかけてもいっこうに止めない事実に対し、S子の「聞こえないのかな。お耳がないの？」の発言を

「自分の経験から〝聞こえないからだ〟と考え、聞こえないのは〝そうだ、耳がないのかもしれない〟という理由を見つけ出しています」

と考察するのは、少々保育者の思い入れが強いようにも思います。

耳の機能を理解していなくても、かりに「聞こえない」のあとに常套句のように「お耳がないの？」を用いている環境の中で生活していたならば、三歳児でもこれらの言葉をじょうずに使いこなせるからです。調子のよいCMをいち早く覚えたり、ままごとの中で母親の口調そっくりに話したりするのと同じで、内容を理解して用途に応じて使うというよりは、状況を確かに模写する力が育っているからでしょう。

三歳児の探索行動では、何かがわかった、ここまで到達したという結果を急がず、それぞれの探索行動を通じて自分の経験を一歩広げ、半歩深めたことで十分だと思います。

ですから、探索に対しては、

「のちの認識の広がりや思考の土台となるのです」

と長期の目標を描く姿勢でよいのだと考えられます。

探索それ自体が楽しい遊び

珍しいものを見つけた、おもしろい物を集めるといった行動は、日常的に見られる三歳児の探索の姿です。事例㉒には、発見をさらに遊びとして続ける姿として、インコの羽根集めが示してあります。しかし、カタバミを見つけたA子も、タンポポの花をつんだK男も、この行為が一回だけで終わったのではなく、あるときには持続し、熱中する姿が想像できます。

インコの羽根を見つけたH子のように、違う羽根を見つけたことの「満足がまた羽根を探してみようとする意欲を引き起こして」遊びとして続く場合もありますが、たいていの場合は、集めること自体が遊びの楽しさになっていることが少なくありません。私の勤務園でも、四月のサクラの花びら集めに始まって六月のミミズ集め、さらにどんぐりや枯れ枝集めを経て、霜柱集めに至るまで、三歳児の一年間には何かしら『〇〇集め』の遊びが見られます。

「集めたもので何するの？」

「せっかく集めたのに置きっぱなしよ」

といった問いかけは無意味です。集めたもので何かをしたいからというのではなく、まさに集めることがおもしろいから集めているのです。この、その行為自体がおもしろいからするという見方は、探索をとらえるうえで重要ですし、三歳児の遊びを考えるうえでも大切にしたい事がらです。遊びを発展させるという名のもとに、探索を早々に打ち切らせることのないよう、こうした『○○集め』も存分に保障したいと思います。

感動を表し強めるための保育者の共感

「先生にあげる」

と花をプレゼントする姿が事例に示してあります。他のものに比べ花を識別する力が早くから育っていることと、花を親愛の表現としてプレゼントすることは、民族を問わず共通していることだといいます。しかし、花に限らず

「子どもたちは、保育者に登園途上で見つけたいろいろなものをくれます」

ジュース缶のプルトップであったり、ボルトの一本であったり、ガラス片であったりと、およそ宝物らしくないものもあります。けれども、そのプレゼントに対して

「保育者が『まあ、かわいい！先生に』といってK男の顔を見ると、K男はほっとした表情になるのであったり、しおれたカタバミであっても

「顔を上げ『うん、きれい？』」

と確かめたいほど、保育者のかかわりを求めてのことなのです。ですから

「子どもは、感動体験をもつと、それをなんらかの形で外に表現して、身近かな人に伝えようとします」

という見方を大切にしていきたいと思います。感じることは、自分一人で味わうときよりも、それに共感したり、受け止めてくれる相手が存在することによって、より強まり、また深まります。

探索行動の多くは、子ども自身の興味や好奇心に基づいて始まるのですが、そこで得られる感動は必ずしも他者にわかる形で表現されたり、伝わるとはかぎりません。また、体験することもおもしろさや喜びだけでなく、疑問や困惑のことも少なくありません。それだけに保育者は、子どもの探索行動に心を寄せ、そこで子どもが味わうさまざまな思いに共感することで、子どもが自分の力で世界を広げていくための援助者でありたいと思います。

（東京都・東京学芸大学附属幼稚園　平山許江）

理論考察

探索行動は遊びである

三歳は探索期

人間は他の動物に比べ、能動的で好奇心が強いといえます。人間がホモ・ルーデンス（遊び人）と称されるのは、こうした特性をとらえてのことです。

子どもは本来的には、知りたがりであり、また何でもやりたがりです。「どうして？」「なぜなの？」の質問はとどまるところをしりません。「あなたにはまだ小さいから、無理なのよ」といえば、「なぜ小さいと無理なの？」になってしまい、大人が音をあげることは珍しくありません。

こうした傾向は、どの年齢にでも現れるというよりは、特に三歳児に急速に目立ってきます。それ以前には、単に〝いないいないバア〟を喜んでいたのですが、三歳になると〝かくれんぼ〟を楽しむようになります。どこなら隠れることができるか、さっき隠れたところはどこだったか、といったように、自分の隠れ場所についても、相手を見つける場合においても、周囲のようすをしっかりととらえる姿勢がうかがえます。

あるいはまた、相手に「どうして？」「なぜ？」の質問をあびせるだけでなく、「～だから」と理由を話したり、自分で「あ、そうだ」と納得のいく答えを導きだしたりもするようになってきます。

自分から周囲の世界へ興味をもち、質問したり、いじったりしながら納得するまで探求し続けます。さらには、そうした探ったり、わからないことを解決することが、大きな喜びや満足を与えるようになっていきます。

三歳児は、まさにこの探索期にあるといえます。

ではなぜ、こうした探索の特性は三歳に顕著になって現れるのでしょうか。また、三歳児にとって探索行動はどのような意味をもつのでしょうか。三歳児の探索としての遊びについて考えてみたいと思います。

自分に対する信頼が育つ

三歳になると、それまでの時代に比べて身のこなしが著しく上達します。歩くことを例にとっても、単に転ばなくなったというだけでなく、つま先歩きや両足跳びもできますし、階段を登っていってすべり台を滑ることもできるようになります。三歳年齢で探索行動が顕著になることと、この運動能力が高まることとは無関係ではありません。K・S・ホルトは「子どもはどのようにして、なぜ動くのか」の論文の中で、
「人間は、自分自身と環境の両方を制御するために、運動を使用するようになる」
と述べ、さらに
「運動は幼い子どもたちにとって、非常に重要だと思われる。すなわち楽しみのためと、まわりの世界を学習するのを可能にするためと、そして正常な情緒的パターンを発達させるために重要なのである」

といっています。

具体的な例から考えてみましょう。

三歳児の保育室に、段ボール箱に入れたウサギを連れてきました。「ウサギだ」と珍しさに歓声をあげ、箱の周りを取り囲みます。

指先で触れる、つつく、手の平でなでる、指先でつまむ、たたく、ひっぱる、持ちあげる、押す、抱く。

そっと毛に触る段階から、胸に抱きあげるまでには、実に多彩な運動を用いていることがわかります。初めて近くで見たウサギに対しての驚きや感動が、知的な好奇心を引き起こし、もっと知りたい、疑問を確かめたいという要求となって、ウサギへのかかわりを促します。そして、実際の行動を通して納得したことや味わったことから充実感を体験します。

けれども、すべての子どもがウサギへの興味を実際の行動へと結びつけ、感動体験をもつかというとそうではありません。目はウサギの方に向けられていても、保育者のそばから離れようとしない子もいますし、いったんは手を伸ばしたものの、ウサギが跳ねたのに驚いてすっかり怖がってしまう子もいます。あるいはまた、ちらりとウサギを見たもののふだんの遊びへと移り、目新しいものに関心を示さない子もいます。

こうしたかかわり方の違いは、どこから生まれるのでしょうか。情緒の安定が要因となります。不安があると意欲や自主的な行動は現れません。ベロニカ・シャーボーンは、赤ん坊の初期経験は、自分の重みを経験することであるとして、床の上を転がっている場合にも二つのことを表しているのだと考えています。

「まず最初、からだを地表に横たえることによって、子どもは、引力を受け入れる。つぎに、ころがりはじめると、それはその動きに固有の力に、等しく自分自身をまかせているのである。自信のある子どもは、その両方を楽しみ、両方に従うが、不安をもっている子どもは、たとえば頭を床の上に楽に置かないだろうし、また揺られることを楽しまないだろう。最も多動的で情緒不安定な子どもたちは、からだの重みを地面にまかさないだろう。このように子どもが、からだをまかせる程度は、自己に対する信用と信頼の指標である」

このように考えると、子どもがものごとにかかわっているようすは、生き生きとして、何よりも楽しさを見いだしている「遊び」として取り組んでいることが望まれます。一見すると、むだなことの繰り返しであったり、道徳性を欠いていたり、論理的でなかったりしていても、子どもが「楽しんでいる」という姿は、大切にされなくてはならないといえます。

カミイとデブリーズは、ピアジェ理論の教育的示唆として、

「子ども個人がその知能を使うかどうかは、ものごとを考え出すのに自分がどの位有能だと感じているか、どの位知的好奇心を追求することを楽しんでいるか、自分の誤ちをどう感じるかに大いに依存している」

のだといっています。そして

「独立的で、好奇心が強く、自分から積極的に新奇なものを追求し、自分の頭でものを考え出すことに自信をもち、自分の考えていることを確信をもって話し、怖れや不安には建設的に対処し、すぐ失望しないように子どもをはげますこと」

の大切さを説いています。

子どものからだが育ち、自分から積極的に周囲の未知の世界にかかわっていく経験は、能動的な行動のしかたを身につけるとともに、自分自身の力を知り、自立や自尊などの心の育ちをも促すのです。

行動を通して考える

探索という文字はどちらも、さがし、さぐるという意味をもっています。索は、本来はなわを示していたようですが、検索や捜索など、能動的にさがし求めるときに使われます。どのようにしてさがすかというと、昔はなわで事足りたのでしょうが、現代ですと、コンピュータを駆使したり、マスメディアを利用することも必要になってくるでしょう。いずれにしても、方法をあれこれ考えないと効果的な探索はできません。

津守真・磯部景子『乳幼児精神発達質問紙』は、子どもの状態像をチェックして発達指数を出す、乳幼児の精神発達診断法の一つです。これは、一～三歳までと三～七歳までに分かれており、どちらも五つの側面から発達診断をするようになっています。

一～三歳までの項目は、「運動」「探索・操作」「社会」「食事・排泄・生活習慣」「理解・言語」であり、三～七歳までの項目は、「運動」「探索」「社会」「生活習慣」「言語」です。このカテゴリー名は、子どもの発達を知るうえで、とても興味深いと思います。

年齢が高くなると「探索」でくくられる事がらも、三歳未満では「探索・操作」と二つの言葉を包括したくくりになっています。三歳児年齢に相応する具体的なチェック事項を抜き出すと、次の通りです。

- ●積み木で、トンネル・門の形を作る。
- ●鉛筆・クレヨンで丸をかく。（一つの丸であること）

●顔らしいものをかいて、目・口などをつける。
●のりをつけて、はりつける。

実際に三歳児の遊びのようすをみると、これらの事項が、単に「探索」ではなく「探索・操作」と行動そのものをも含んでいることの意味がわかってきます。積み木を二つ並べ、その上に二つにまたがるようにもう一つを載せると、門の形になります。子どもがさらにもう一つの積み木を手に持ち、この下をくぐらせたり、「しゅしゅっ。出発進行」などと独語をいって遊んでいると、トンネルのイメージをもっていることがわかります。積み木を並べたり、重ねたりしている時点では、何のイメージを持っているのかわかりませんが、しばらく遊びの経過を追うと、ああそうだったのかとわかってくることも増してきます。けれども、その場合も推し量るのであって、断定できるほどではありません。床の上に積み木を走らせて「しゅしゅっ。出発進行」といっていたとしても、門の形の下をくぐらずに方向を変えたなら、もしかするとこの形はトンネルのイメージではなく、駅舎のイメージなのかもしれません。

積み木で門の形を作った子どもが「トンネルだよ」と報告する場合があります。この場合でも、子どもが初めから「トンネルを作ろう」と宣言をしてからとりかかりでもしないかぎり、子どもが、トンネルを作るという目的をもって積み木をいじっているのか、反対に、積み木をいじっているうちにトンネルのイメージがわいてきたのか、あるいは、積み木をいじっていて偶然できた結果に対して、トンネルの名称を与えたのか、はっきりしません。

すでに述べたように、探索とは、さぐりもとめること、さがしたずねること（広辞苑）ですが、子どもの場合、何を求め、何を明らかにしようとするかがあらかじめわかっていて、その行動を起こすというよりは、その行動をとりながら、しだいに自分自身の求めているもの、考えている事がらをはっきりさせていくことも少なくありません。

別の事例から考えてみましょう。

園庭で枯れ枝を拾い上げた男児は、その棒をひきずって走るうちに、棒が地面につけた跡を見て、次には自分から棒を手にして線や絵を描き始めます。しばらくすると、棒がポキンと折れました。すると彼は、絵を描くのはやめ、今度は枝をポキポキと折り始めます。長いものを選んではつぎつぎと折り続けます。地面に短くなった棒が積み上がりました。彼はその棒の山を両手ですくいあげると、ままごとのなべの中に入れ、スプーンでかき混ぜます。そして、だれに対してというのではありませんが「カレー屋です。カレーはいかがですかぁ」と呼びかけています。しばらくなべの中をかき混ぜていると立ち上がり、バケツに水をくんでくると、なべの中に入れます。小さな棒が表面に浮かびます。スプーンでかき混ぜると棒が渦を作ります。彼はさらに勢いよくスプーンを回します。スプーンを取り出しても回る棒をじっと見ていた後、スプーンを水の中に落としました。スプーンがなべの底に沈むと手を入れて取り出し、また渦を作り始めます。

この遊びの中心は、一本の枯れ枝です。絵を描く道具としてのかかわりから、料理の素材まで柔軟な扱いがされるとともに、地面に線をつける硬さ、折れる柔さ、水に浮く、流れるといった多様な特性が利用されています。まさに、枯れ枝に対する探索行動だといえます。

この例では、小片となった棒をすくい上げてなべの中に入れる行動と、そのなべの中に水をくみ入れる行動の直接のきっかけはわかりません。彼の心の中に「カレーを作りたい」という要求がはっきりとあったのかもしれません。この目的達成のための意図的な行動とみなすこともできるかもしれません。しかし他の行動、つまり、棒で地面に絵を描く、枝を折る、渦を作るなどは、あらかじめ要求があったというよりは、かかわっている中で得た新たな遊び方という判断のほうが適切でしょう。いいかえるならば、目的的行動ではなく、探索・操作の一連の行動です。かかわりながら知り、知ることで新たなかかわりをするのです。ここに、子どもの探索の特徴があるといえます。

自分のやり方を優先する

子どもが探索行動をしているときの熱心さ、積極性は、目をみはるものがあります。自分がそれまでに得た知識や技能を総動員するだけでなく、その子なりの洞察や試みもしますし、感情も豊かに表現されます。

しかし、子どもが持っている知識や積み重ねてきた経験は、おのずと限りがありますから、考え方もやり方も自己中心的であって、大人からみると、むだなことやつじつまの合わないことが多いのも事実です。

アニミズム的な行動のしかたは、その代表例といえるでしょう。

遊動木に乗ろうとする三歳児が、揺れ続ける遊動木に向かって「止まれっ。動いちゃだめっ」と叫んでいます。そして、自分が乗ると今度は「朝ですよ。起きなさい。動きますよ」と遊動木に話しかけています。

大好きなミニカーを手にしたまま飼育小屋を見に行ったA男とB男は、アヒルが鳴いて近づいてくると、「これ（ミニカー）欲しいんだね」と顔を見合わせ、「だめ。これぼくのだから」とアヒルに説明します。そして、B男は「隠したほうがいいよ。欲しがるから」と耳打ちしました。

この例のように、生命のないものに対してあたかも人間のように扱ったり、動物を擬人化して考えたりするのは、この年齢ではよく見られることです。けれども一方では、子どもがアニミズム的な行動をするからといって、必要以上に擬人化した扱いをすることは望ましくないと思います。

中沢知子は、擬人化は教え込まれるとして、

「子どもの周囲には擬人化したお話や教訓がたくさんあるが、私たちの調査では、たくさんの絵本のなかから子どもが自分で選ぶ本を集計していくと、低年齢児ほど、写実的に事物を描いた本を繰り返し見ることがわかっている。常識では大きい子ども向きとされているノンフィクションの科学ものを先に見て、それから次第に擬人化されたものに移るのである。子どもはまず自然物をありのままに受け取り、繰り返し確かめようとして絵本を手にするのであって、別の言い方をすればこの実力がつかなければ擬人化も起こらないといえよう」

と述べています。

最初のほうであげたウサギを保育室に連れてきた例の後日談ですが、その後たくさんのウサギに関する教材を取り上げました。ブルーナーの「うさこちゃん」のシリーズ本を初めとして、「すてきなワンピース」は絵本だけでなくＯＨＰで楽しんだりもしました。これらの絵本もそのときは熱中している姿が見られましたが、「これ読んで」と催促する本は、生態や飼育方法中心の科学絵本でした。子どもたちの関心は、ストーリーを追うというよりは、写実的な絵の細部をつぶさに見てのさまざまな発見にあったのです。

「幼稚園のウサギと同じだね」

「こっちのウサギのからだ茶色いよ」

など同じことを確かめたり、差違点を発見して報告するといったように、事実を理解することそれ自

体が興味の中心でした。

事実の発見の楽しさを満たしてくれることと、子どもが自分なりのやり方でかかわっても十分に対応できる点で、自然は適しています。物であれ、現象であれ、生命であれ、自然が持つ奥行きの深さや広さは、他と比べようがありません。そしてまた、人類が長い歴史を通して学習してきた事がらを、子どもが追試することができるからです。

子どもが泥粘土で遊んでいるときのようすを例にとって考えてみましょう。

最初は、床などに押しつけて平らにした粘土に、指で穴をあけたり、とがった棒でひっかいたりします。いわゆるレリーフを作ります。

平たくなった粘土の縁を少しずつ持ち上げて皿を作ります。丸めた粘土の中央をくぼませて、分厚い器を作ります。そのうち、何本もひもを作ると、それを一本ずつ輪にして積み重ねて、薄手で深い容器を作りだすようになります。

こうした遊びの変化を追ってみると、まさに〝個体発生は系統発生を繰り返す〟ということを証明しているかのように思われます。

子どもは、だれかに教わったり、指摘されて学習するよりは、自分自身のやり方、すなわち、自分が持っている知識と技能で、自分の体験を重ねる中から学ぶことを好みます。自分で決定し、自分で実践するからこそ、子どもの探索行動は生き生きとしているのだということを忘れてはならないでしょう。

環境とのかかわりの中で育つ

いままで述べてきたことをまとめると、子どもの探索行動は、自分に対する信頼をもとに、自分のやり方を優先しながら、行動を通して対象への理解を深め、世界を広げていくことだといえます。

では、こうした探索行動は、人間にとって、あるいは子どもにとって、どのような意味をもつのでしょうか。

ハントは、「発達は、生来的要因によって自動的に行われていくのではなく、動物が好奇心にかられて環境と積極的に交渉しているうちに、次第に情報処理のパターンが形成され、熟達していくことによって漸進的に行われていくのだと考え」ています。さらに、探索と発達について明確に述べているので、やや長いのですが、その部分を引用してみましょう。

「過去経験の結果作り上げられた期待や信念は、認知的標準を形成し、これとの間に適度のずれをもつものに対しては、われわれの興味や関心が呼び起こされる。そしてこれが自発的な探索を誘い、より高次の認知的標準を漸進的に形成していくと考えるのだ。当初は、適度のずれがあって興味を呼び起こされたものでも、探索につれて既存の標準との間に等価が成り立つようになると、次第にそれは低下してくる。このように興味や関心が連続的に変化するということは、言葉を換えれば、認知的標準がより高次なものへと徐々に変化すること、つまり学習ないし発達が生ずることを意味しているといえるだろう」

こうした姿は、子どもが目新しい玩具に出会ったときのようすを思い浮かべると容易に理解できます。あえて玩具と規定しなくても、子どもが、好奇心をあらわにして、いじくり回せば、その物は十分に玩具になり得るのですが、子どもが対象に熱心にかかわることを通して得た学習は実に着実です。

一、二度スナック菓子を食べた子どもは、初めてのものであっても、表示されている文字はまったく読めなくても、パッケージを見ただけでそれが菓子であることを見分けます。

テープレコーダーの操作なども、最初は手当りしだいにスイッチを押していますが、一度やり方がわかると、次には迷わずに正しく操作します。かりにテープが巻き戻されていないような場合でも、自分の覚えた操作を繰り返して「このボタンを押したのに鳴らないよ。電池なくなったんだ」と、自分の操作の正当性を説明したりもします。

こうした事がらを考えると、子どもが環境に能動的にかかわることを通して得る学習の重要性をもっと意識しなくてはならないでしょう。

もう～ができるようになった、まだ～ができない、という見方や、発達の速度を競うことよりも、自発的な探索行動を促すことが大切であるといえます。いたずらに到達度を問題にしたり、生活と遊離した場面で知識を詰め込むのではなく、実際の生活場面での子どもの意欲を大切にする「遊び学習」を大切にしたいと思います。

子どもが自分の体験を通して学んだ知識の着実さは、自然科学のことに限られているわけではありません。社会規範や道徳性、文化やユーモア、概念や論理といった事がらも含まれます。

S男は、ある時期「もし○○だったらどうするか?」を連発して問いかけていました。「もし先生のお家が火事になったら」であったり、「死んじゃったら」「雷が落ちたら」「大きい波がきたら」と大事件を想定してのことが主でした。それから一か月ほどすると、内容が変わってきました。「おならをしたら」や「うんちがもれそうになったら」などであったり、「おしりが大きくなっちゃったら」や「おちんちん見たら」などのタブー語をつぎつぎと問いかけては、反応を喜んでいました。さらに半年ほどすると、「もし」や「もしも」のいい方が、「もしかして○○じゃないの」のからかいになりました。「もしかして先生はお化けじゃないの?」などです。

S男は身近な環境の一つである保育者を探索しているのです。どのような質問をすれば反応が返ってくるか予想をし、反応を繰り返し確かめています。そして、かかわりのしかたを学び、身につけていきます。対象の反応を知りつくしてしまうと、また新たな内容の質問をぶつけていきます。こうして自分の興味や関心を中心にして、探索行動を積み重ね、人間関係を学習していきます。

マシューズは、子どもの発言を対象にして興味深い分析をしています。一例をあげてみましょう。

三歳十か月のデニスの発言です。

「もうパンにバターぬっちゃったんでしょ。じゃあ、バターをぬってないパンが食べたくても食べられないね。ナイフで削らなくちゃだめだね……もし、バターをぬってないパンが食べたくて、ナイフで削るのがいやだったら、バターをぬったパンを食べるしかないね」

これについて次のような考察をしています。

「デニスは『様相論理学』(model logic)と呼ばれる論理学の一分野にとって中心的な問題である、可能性と必然性の様相概念を探求しているのだが、この逸話が提起している問題は、哲学的というより、むしろ哲学以前のものであろう。本当に哲学的な問題を提起しているわけではないし、もちろん哲学的な問題を解決しようとしているわけではない。そうではなく、哲学を育てる、概念の遊びの一種なのである」

保育者はしばしば、子どもがたどたどしい言葉使いをしたり、言葉に詰まって発言がとぎれると、道具としての言葉、つまり用法を教えることに専念してしまい、子どもが論理に行き詰まっていることを忘れがちになります。また一方では、子どもが新しい概念を理解したり、論理を習得した場合であっても、表出した言語が未熟であると、概念もあいまいであろうと判断しがちです。こうした誤解のおそれはありますが、子どもが、考えをめぐらしたり、言葉のあやを張りめぐらしたりして「概念の遊び」を楽しんでいることを十分に認めてあげたいと思います。

子どもは、自分の周りの環境に積極的にかかわって、着実な歩みで世界を広げていきます。その環境の要因の中には、物や自然はもとより、保育者も含まれ、さらには自分自身の概念さえもかかわりの対象となるのです。

しかも、そのかかわりは、しかめつらをしてしぶしぶとするのでもなければ、だれかに強要されて進めるのでもありません。遊びとして自らの楽しみとして行うのです。こうした子どものたくましさを見るとき、まさに人間讃歌の思いを強くし、あらためて子どもにエールを送りたいと思います。

（東京都・東京学芸大学附属幼稚園　平山許江）

参考文献

成瀬悟策訳編『児童発達の動作学』誠信書房（一九七八）から
K・S・ホルト「子どもはどのようにして、なぜ動くのか」
B・シャーボーン「体験を通しての学習」
C・カミイ、L・デブリーズ（稲垣佳世子訳）『ピアジェ理論と幼児教育』チャイルド本社（一九八〇）
津守真・磯部景子『乳幼児精神発達診断法』大日本図書（一九八一）

中沢和子『子どもと自然』　永野重史・依田明編『子どもの世界』新曜社（一九八三）
J・McV・ハント（波多野誼余夫監訳）『乳幼児の知的発達と教育』金子書房（一九七六）
G・B・マシューズ（鈴木晶訳）『子どもは小さな哲学者』思索社（一九八五）

第四章　幼児の表現としての遊び

㈠ ダンボール箱と遊ぶ

実践事例㉔

ダンボール箱と遊ぶ

男児六人、女児四人のたんぽぽ組は、十人中六人が、一月から三月までの生まれのせいか、一学期の間は、自分の置かれている場をはっきりつかんでいないようすでした。いつも保育者の後をついて歩き、より添った感じで、みんないっしょでしたが、ブランコもうまくこげず、保育者の膝の上に座っての二人乗り、泥んこでのままごとも、プリンやコーヒーを作る保育者の手元をうれしそうに見ているだけでした。幼いわりに泣くことが少なかったのは、兄姉が卒園、在園という家庭が多く、園の雰囲気に慣れていたことと、保育者とは赤ちゃんのころからの顔見知りということ、親子ともに気やすさがあったからだと考えられます。それでも、豪快なT男の泣きや、五月雨のようにいつ果てるともないH男の涙がやっとおさまって、夏休みに入りました。

長いお休みを心配して迎えた二学期でしたが、どの子も弾んだ声で「せんせー、せんせー」とよく話し、明るい雰囲気で始まりました。体を使っての遊びや、体育的な活動に重点をおいた二学期は、他のクラスへの参加も多く、とまどいながらも積極的な姿勢をみせるようになりました。平均台を渡りながら、途中で止まって、両手を広げたポーズをとり、「先生、見て、見て……」と叫ぶH男には、競争の意識はまったくないようです。

K子の〝スキップもどき〟は大人気で、年長児たちが寄ってきて、「スキップやって見せて……」と誘ってはかわいがってくれました。活発になるとともに、言葉も乱暴になり、無口だったK男が「なんだよー、それでいいのかよー」と、すごみを見せたりします。ひょうきんなT男や、ユニークなおしゃべりで楽しいW男が、「できない、やらない」といい始めました。特に、描いたり、作ったりすることに自信がないようです。

自分の周囲を見渡せるようになるとともに、多様な姿を見せ始めた子どもたちを見て、三学期には、友達との関係を深めながら、一人ひとりの個性を生かしていく保育を…と考えながら、冬休みを迎えました。

三学期が始まって二日目、大きなダンボール箱を保育室に置いてみました。一つの箱に十人の子どもたち、さて、どんなかかわり方をするのかな……と楽しみでした。登園してきた子どもたちは、早速、中に入ったり出たりの遊びを始めます。「先生、閉めて…ここ閉めて…」ついに箱を一人占めしたT男が叫びます。「暗くなるぞー、見えなくなるぞー」とおどしてみましたが、ニヤニヤしながら箱の中にしゃがみこんでしまいます。頭の上になる部分を閉じてやると、一呼吸の後、閉じたところを頭で押しあげ

て立ち上り「ホーラね、出てきたでしょう」とご満悦です。〝なるほど、なるほど、あの手品なのね〟これは十二月のお誕生会のお楽しみに、職員たちがいくつかの手品を上演した中の一つで、大箱を使っての大魔術でした。「よし、それでは…」と、先生たちが使った赤や黄色の山高帽を出してあげると、いよいよ張り切って、帽子を胸の前に持ち、格好をつけながら、手を振ったり、舌を出したりします。もちろん、B男もH男も、帽子の分け前にあずかったので、みんな並んで大熱演ですが、彼らの手品は、手足を使っての表現で、言葉を発せず「先生、いって…、お話する人になって…」と要求します。これは、お誕生会のときも、口上を述べる役があって、手品師はみな無言だったからだと思います。好奇心旺盛な三歳児たちが、見たこと、聞いたことの経験をもとにして、新しく何かを表そうとしているのでしょう。これが、想像する力が育っていく過程の最初ではないかと考えました。

その日は、あごがガクガクになるほど口上をいわされて疲れた一日でしたが、十人の子どもたちのダンボール箱への出入りは、熱気にあふれていてみご

とでした。自分の〝番〟を楽しむ、一人遊びのようにも見えましたが、全員が箱の周りに集まっての大騒ぎは、みんなで同じことにとりかかる喜びを味わっているようにも思えました。

しかし翌日は、箱の中にブロックを持ちこんだB男が、静かに座って遊んでいる程度で、他の子どもたちは、ダンボール箱を気にしていないようです。お弁当の後、K男がガムテープを使って、ロールペーパーの芯を箱につけていると、「Kちゃん、何してるの…」と、H男が話しかけます。「くっつけてるの…」「ふーん、手伝ってあげるね」と、ロール芯を持って隣に座ります。二人はほとんど無言で、ガムテープを切ることに熱中し始めます。K男は、指先を器用に使って、少し裂いておいて一気に破きます。指にはりついたり、テープがねじれたりしていますが、何度でも挑戦しています。H男は、ガムテープの先端を持ってぶら下げ、重さを利用してピンと張った部分を鋏で切ることに成功しました。この二人の、やり遂げようとする意欲と、困難を乗り切ろうとする努力を見ていると、自分から求めた課題に対しての意識の強さを感じました。また、これらの身近な材料や用具との触れ合いは、将来の造形的な活動へのステップとして大事に考えたいと思いました。

女の子たちの大好きな遊びには、お姫様、お嫁さん、お母さん、お姉さんに変身するものがあります。お母さんたちが縫ってくれたスカート、エプロン、帽子、スカーフ等を身にまとって、一日を過します。その日は、朝から、たくさんの衣装をせっせと取り出して、大型ダンボールに詰め替えていました。箱の中に全部の衣類を入れ終わると、かがみこむようにして、Y子が中をかき回し始めました。「ガーガー」

といいながら下を向いたままです。〝あー、今日は洗濯機だな…〟ピンときた保育者は、早速ひもを張って物干場を作りました。「さあ、できたわよ」と、Y子にいわれて女の子たちは洗濯物を干しにかかります。物干場は前からあったような、当然の顔をしています。新しいことが始まったので、「手伝ってやる」と、男児たちも集まってきました。洗濯物をパッパッと振ってから、ひもにかけるH男の手つきのよさに、思わず「H君じょうずねえ」と声をかけると、「だって、おばあちゃんいつもこうやってるよ。H君見てるのよ」といいました。友達の動きをポケっとして見ていたB男は「うちは、干さないのよ。乾燥機でやるから…」と、おっとりとした話しぶりです。

B男は入園当初、自分のことを〝ジブン〟といって保育者をまごつかせました。「ジブンは自分でおしっこできるのよ…」「ジブンのクレパスがないの…」など。ご両親の話では、入園を目前にして「自分のことは自分でしなさい」「ほら、自分でできましたか」と、自分、自分が降りかかりすぎたBちゃんは、ついに〝ジブン〟になってしまったとのことでした。

さて、洗濯ごっこが一段落した後、ふと気がつくと、からっぽになった箱の中に、B男が入っているのに気がつきました。〝何してるのかな…〟と思いましたが、他の子どもたちとの遊びに紛れて、声をかけずに過ぎてしまいました。「さあ、そろそろ片づけて、お家へ帰らなくっちゃー」と話し始めると、箱の中から「先生、まだいわないの？」と声がします。「えっ、あれー、Bちゃんまだ入っていたの…」「だってさー、早くいってよ…」「そうかー、手品したかったのね。ごめん、ごめん」「はーい、あゆみの大魔術、Bちゃんが消えたり、現れたりいたします」と、B男のために手品の口上を始めなければなりません。

そして、われもわれもと箱をめがけて突進してくる子どもたちに「あしたね…」と指切りげんまんして、やっとその日が終わります。ダンボール箱を保育室に置いて一週間が過ぎます。全員で遊ぶ姿は見られませんが、毎日、だれかが、お家にしたり、お風呂にしたりしています。

この遊びと並行して、S男の電車ごっこが続いています。小さなブロックをつなげた電車ですが、机や椅子を使ってトンネルを作っています。数字や字が読めて書けるSちゃんは「今日、トンネルは六でやります」と宣言すると、椅子をていねいに数えて六つつなげます。一人遊びに没頭しているS男を見ていると、考えたり、工夫したりしながら、実際にやってみる行動が、思考するということにつながるのだろうと思います。

このS男の電車ごっこと、次の週に小さなダンボール箱を数個準備したことが影響し合って、女児たちが一箱に一人ずつ入って、〝おでかけ〟を始めました。縫いぐるみの動物を抱き、お弁当を持って、乗ったり降りたりしているのを見ていたK男が、「これでつなげよう」と、ガムテープを持ってきました。「いい考えねえ」とほめると、男児たちが集まってきます。ここでは箱をつなげることに集中させたいと考え、ガムテープ切りは保育者の仕事にしました。不要な部分にもテープをたくさんはってしまいましたが、なんとか連結車両ができました。

でも、子どもたちの話を聞いていると、「バスに乗りますよー」「さあ、赤い電車で行きましょう」「うちの車がねー」などと、一人ひとりが違うイメージで、連結された箱に乗っているのに気がつきました。

この遊びへの、子どもたちの思考を広げてやるために、なんらかの働きかけが必要であろうと考え、まず興味ある物を手がかりにしたら、先への見通しを持つようになるのではないかと思いました。次の

日には、先頭の箱に〝ハンドル〟を取りつけてみました。これは保育者が作った水遊び用の水車ですが（円型の台の周囲に八個の洗濯ばさみを取りつけたもの）、くるくる回るのが気に入って、ここが運転席になりました。「機械がないとだめだよ」とS男が、サインペンを使ってハンドルの回りに絵をかき始めます。他の子どもたちは、そばに座りこみ「そこはなあに…」「ここは百二十一メートル動くところ…」「そうかあ」と、説明を聞きながら、かき終わるのを待っています。ついに一日中、箱の中でかき続けたS男は、次の日、運転席に椅子を持ちこみ準備を整えます。保育者は、笛を提供したのですが、この笛が吹きたくて、運転席の争奪戦が展開されました。けんかに入らないS男は、〝かみようか（上大岡）いき〟と書いた紙を、電車にはりつけます。「僕も書く」と興味を示したW男は、サクランボの絵をかいて「それじゃーわかんないよ」とS男を困らせます。「Sちゃん、サクランボの下に〝いき〟って書いてあげたら…」と助言すると、二人ともうれしそうに「さくらんぼ行きだね…」話を聞いていたH男が「そこでは、サクランボが食べられるのね」と、仲間入りです。

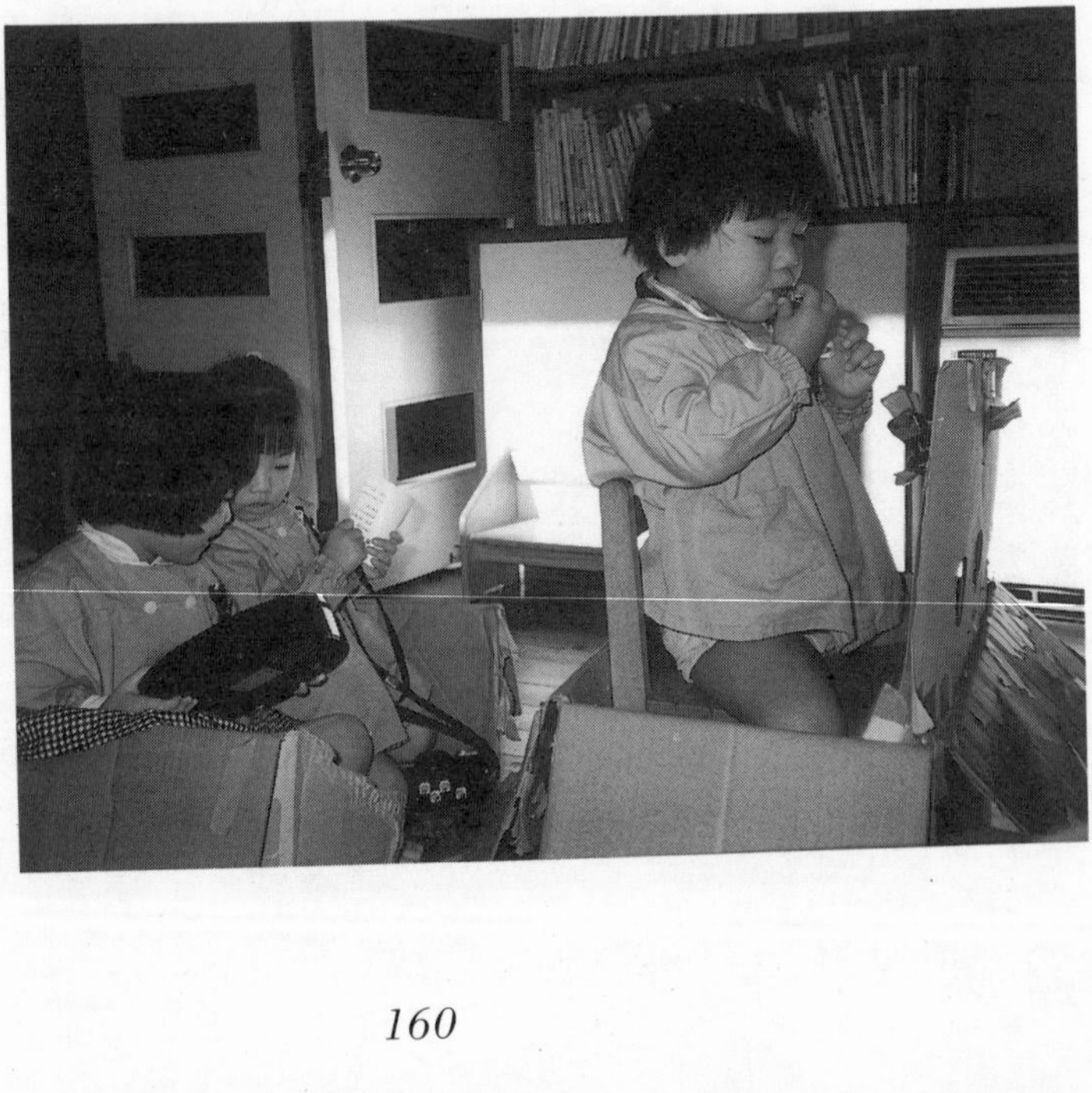

ここまでくると、みんなの気持が一気に集まりだして「切符がないと乗れないよ」の言葉に、担任は材料提供に忙しくなりました。「切符の所はここね」

と机を並べ、箱を取りつけたり、囲いを作ったりします。包装紙を切っては、カウンターにはりつけ、「動物園行きの切符売ってるのね」「ディズニーランドのもね」などと話しながら、手を動かし、体を働かせています。椅子に座った切符屋さんが、お客さんに向かって、窓口から切符を投げとばしています。見かねて「投げないで、ちゃんと渡してあげれば…」と声をかけると、子どもたちは不可解な顔で見上げます。S男が「ここ押すとね…そしたらガチャンって出てくるの」と説明してくれました。

現代は券売機の時代、昔風の保育者とのイメージの違いをはっきり知らされました。券売機の場所を確保したW男は、すぐにつまらなくなったようで、仕事を放棄してお弁当作りに参加しています。窓口にやってきたY子とK子が、「切符屋さんがいないのー」そこで「切符屋さんがいなくて困ってますよ」とW男に声をかけると、「あー、切符屋さん…今、お出かけしましたよ…切符買いに…」と答えながら、Yちゃんたちに向かって「そこから出ますからー、手でやってくださーい」と叫びました。やっとまとまって遊びだしたように見えましたが、運転手は「ガターン、ゴトーン、ジャジャーン、ジャジャーン」と、酔ったようにハンドルを回し、無目的に笛を吹き鳴らします。

お客さんは、走っているはずの電車からかってに降りて行ってしまったり、平気で乗ってきたりしています。〝やっぱり一人ひとりなのかなあー〟と保育者はため息ばかりです。ダンボール箱を媒介にして、みんなの気持ちが一つになる場面もありましたが、それぞれが自分の場にじっくりつかって、心ゆくまで遊んでいた姿のほうが印象に残っています。体全体で取り組める大きな材料だったことが、遊びを活発にし、友達とのかかわりを育てていったことも感じています。

話し合いも、会話も、自分かってな部分が多いけれど、この自由奔放なおしゃべりを十分に楽しませながら、言葉を豊かにさせてあげる大切な時期だと思います。自己中心的な三歳児の発達を認めながら、子どもたちの興味や関心のあるところを察知して、環境への配慮や、言葉かけが、遊びを広げていくことを再認識しました。

（神奈川県・あゆみ幼稚園　江間あい）

事例コメント

ダンボール箱と遊ぶ

この記録には、三歳児組の子どもたちの一年間の成長と保育者の援助がよくわかるように書かれていると思いました。入園してまもない三歳児は、生まれて初めて家庭から離れ、たった一人で知らない大勢の子どもの中で数時間を過ごすことに慣れなければなりません。昨日までは何かあればすぐ母親のところへとんで行けばよかったのに、母親は無情にも子どもを置いてさっさと帰ってしまいました。他の子どもたちもがまんしているようすを見れば、後を追って逃げ出すわけにもいきません。そこで頼みの綱は、〝お母さんのような〟保育者ということになります。保育者のそばに行き、抱いてもらったり手をつないでもらったりすると、やっと安心します。ここにも頼れる人がいたのです。でも、つぎつぎと不安な子どもが現れるので、いつまでも保育者の膝を独占するわけにはいきません。せめてスカートやエプロンの端をつかんだまま、保育者の後をついて歩くという不安なようすがうかがえます。

そのうち、なんとか園にいることにも慣れてくると、保育者といっしょにブランコに乗ったり、「泥んこのままごとも、プリンやコーヒーを作る保育者の手元をうれしそうに見ている」ようになってきます。まだ自分からは手を出さないのですが、その遊びに興味を持ち、心の中ではいっしょにしているつもりになっています。

もっとストレートに、泣くことで自分の気持ちを表現していたT男やH男の場合は、「涙がやっとおさまって、夏休みに入りました」と淡々と書いてあります。このありのままの子どもの姿を受け入れている保育者の姿勢はとてもいいと思うのです。新しい環境にいきなりほうりこまれた三歳児の不安やとまどいは、ここに書いてあるように、〝泣く〟か、〝母親の代理者を見つけてすがりつく〟行為となって現れています。

〝泣く〟というのは、子どもの身に何か困難なことが起きたとき、自分ではどうしてよいかわからず、「こんなことはイヤだ」という気持ちを精いっぱい表現しているのだと思います。T男のように豪快な夕立もあれば、H男のように、押さえようと努力しても後から後から涙がわいてくるという状態もあるでしょう。しかし、先生はそれにも慌てず、自然に任せています。やがてワッと泣いたT男はケロリとして遊び、また何かあるとワッと泣く生活が続いたに違いありません。H男も、しゃくり上げながら、そろそろと砂場の道具に手を出しては思い出し泣きをしていたのでしょう。

保育者にくっつく子どもたちは、四月の初めどこの園でも見られます。とかく保育者は早く元気に遊べるようにと、熱心に玩具や遊具で誘い、「もう、幼稚園に来たのだから、大きくなったのだから、さあ、みんなと遊んでいらっしゃい」と放したがるものです。でもこの先生は、子どもを膝に乗せたり、つかまらせたまま、プリンやコーヒーを作って楽しそうに遊んでおられます。

子どもは保育者につかまりながらも、心は保育者を離れて遊びの方に向いていきます。何もしていないようでも〝見ている〟活動は精神の活発な働きと考えていいでしょう。

よく、保育の場では、遊びに入らずそばで見ている子どもを〝傍観的〟とか消極的な子とみて、誘い込むのが保育者の役割と考える方がいるようです。初めてのものに取り組むとき、じっと見ている期間の意味は大きいと思うのです。この園の先生方は、一律に早く慣れさせようと焦らず、無理に一斉の活動に追い込まず、その子なりの感情の表出のしかたを受け止めています。押さえるのではなく、十分出せることを大切と考えているのです。

さて、長い夏休みが終わって二学期。子どもたちは「弾んだ声で『せんせー、せんせー』とよく話し、明るい雰囲気で始まりました」とあります。一学期、子どものペースを受け入れた姿勢は、子どもの心に親しみと信頼を植えつけ、のびのびと気持ちを外に出すことができたので、すっかり自信をつけたと見えます。遊びの中にも、新しいこと、困難なことに挑戦しては「先生、見て、見て」と叫ぶ場面が出てきます。大好きな保育者に認めてもらいたいのです。「こんなことができるようになったんだよ、えらいでしょう」という喜びであり、保育者と喜びを分かち合おうとしています。二学期には、友達とのかかわりが深くなり、悪い言葉を覚えたり(これも仲間意識です)、「できない」「やらない」という言葉が出たりします。これは自己主張でもあり、また見通しが立つようになり、あるいは己の限界を知ったためでもあるでしょう。つまり、知的な発達が進んできたのです。

そしていよいよ三学期。身も心も成長した子どもたちに対して、いろいろな物を用意します(この場合は、ダンボール箱など)。力を蓄えた子どもたちは自分からそれらの物に働きかけ、いろいろ試していきます。

セロテープ、ガムテープとの格闘ぶりはおもしろいですね。丸まったり、物にくっついたりする厄介なシロモノも、使い方さえ覚えればこの上なく役に立つことを知るのです。箱をくっつけるのにこんな便利な物はありません。そうした道具の使い方を少しずつ覚えていきます。

先日、筆者のいる短大附属幼稚園の保育者から次のような話を聞きました。やはり、三歳クラスで、一月に入って空の牛乳パックをたくさん集めておいたら、三歳児たちがかわるがわる引き出しては放り投げ、落ちるとエイッとばかり飛び乗って踏みつぶしているのです。三歳児の悪ふざけかと思ったのですが、よく観察してみると、そうやって遊んでいるうちに、紙箱の特性である中が空洞の立方体を体全体で感じ取ろうとしているのだと気がつきました。そのあとで、箱と箱を重ねたりつなげたりして何かを作って遊ぶ姿が見られるようになったといいます。

この事例㉔でも、ダンボールを出して置くと、子どもたちはまずその中へ入ったり出たりを繰り返して遊びます。これも、ダンボール箱の性質と機能を調べているのでしょう。T男が箱の中に入って「ふたを閉めて」と要求したのはおもしろいですね。完全に閉ざされた空間の中に一人でいて「一呼吸の後」に頭の部分を押し開けて「ホーラね、出てきたでしょう」と顔を出します。この保育者は、十二月に職員がして見せた手品の大箱の魔術を子どもたちが覚えていて、再現しようとしているのだと考えて、手品の道具を出しています。子どもたちは、その小道具によってそのときの場面を思い出し、かわるがわる身振りを交えてその遊びを楽しんでいます。

大箱の魔術はたしかにおもしろい見せ物で、強い印象を受けたのでしょう。保育者の口上にのって、魔術師になったつもりで、いつもの自分とは異なる表現をしようとします。過去に保育者のモデルがあったとはいえ、子どもにとっては初めての劇的な表現です。一日中、この遊びが続いたのは、道具類を出し、口上を述べた保育者の働きに支えられたおかげだと思うのですが、もう一つ、暗い箱の中にちょっとの間閉じ込められ、やがてそこから明るい日常の世界へ再び戻ってくる体験に魅せられたのかもしれません。これも箱の特徴である、中のものを閉じ込め、まったく見えなくする性質を、出たり入ったりすることで、身をもって知る試みともいえます。

この刺激的な遊びは一日で終わり、次の日からは、箱から連想されるバラエティに富んだ遊びが展開されていきます。洗濯機、衣装箱、乗り物、おうち、おふろ、トンネルなど、過去の生活体験から想像力を働かせ、さまざまなものに見たてて箱を使います。

〝見たて〟は、ただのダンボール箱にすぎない物を、何かに想定するのですから、その箱を使って同じ遊びをしようと思えば、他の子どもたちに自分のイメージしているものを伝えなければなりません。そこで、言葉が必要になり、三歳児なりに、相手にわかってもらおうと身振り手振りも交えて熱心に伝えようとしている姿がほほえましく語られています。イメージをより鮮明にするための小道具を工夫し、それらしきものを身近にあるものの中から見つけ、遊びが具体的に展開されるよう工夫しています。そうしたものを見つけたり取り付けたりすることも遊びなのです。他の幼児に自分の意図を伝えようとする中で、他の幼児の思いつきを受け入れることもします。

この事例㉔が「ダンボール箱と遊ぶ」というテーマでありながら、直接その活動が現れていない一学期からの子どものようすが述べられていることに注目したいのです。つまり、幼児の表現は、一つの活動が生まれるに至る序走の部分の大切さに気づいてほしいのです。ダンボール箱をそこに置けばいいのではなく、この保育者は、一年の中で〝いつ〟それを出そうかと子どもの成長を見守っていたと思うのです。

一学期には、子どもたちがそれぞれのペースで園の生活に慣れ、安心して自分を出せる生活を目指しています。子どもが頼って甘えてこられるような保育者と子どもの関係をつくり、子どもは受け入れられることを知っているから、素直に何でも表現できるのです。これが、子どもの表現を育てるベースになります。

二学期には、自信をつけた子どもたちが、つぎつぎと新しい体験に自分から挑んでいく姿が見られます。保育者は、一学期の初めには、子どもをそばに引き寄せ、心の安定を図っていましたが、二学期には「見て、見て」という子どもの言葉でもわかるように、見守る姿勢へと変わっていきます。

三学期には、子どもの仲間に入っていっしょに遊ぶという対等な付き合いが始まっています。保育者が仲間に入ることで、具体的なイメージがわき、切れぎれの遊びが関係づけられ、人と人とを出会わせる効果が生まれます。ひとことでいうなら、遊びがよりおもしろくなるのです。そのおもしろさが〝そうだ、あれを作ろう〟〝ぼく、これをやる人になろう〟と道具の工夫や役の表現を生み出す意欲になっていることがわかります。

終わりの方で、乗り物ごっこを何とかまとまった活動にもっていこうと努力されたようすが書かれていますが、まだまだイメージを共有することは難しく、乗り物とはいってもみんながかってな思い込みで遊んでいます。でも、これが本当の三歳児らしい姿なのではないでしょうか。「やっぱり一人ひとりなのかなあー」とため息をつかれたのは、少し期待しすぎだったように思います。「それぞれが自分の場にじっくりつかって、心ゆくまで遊んでいた」ことが何よりの収穫だとは思いませんか。

（愛媛県・松山東雲短期大学　吉村真理子）

(二) さわったり、いじったりすることから生まれる遊び

三歳女児五人が、砂場から五メートルほど離れた所で頭をすりよせ何かしています。近づいてみると、丸い砂ふるいの中に砂を入れ、手でたたいています。保育者が「それなあに」と聞くと、「これケーキなの」「お誕生日のケーキ、作っているの」とT子の言葉が返ってきました。そこへO男がスコップを持ち、S男といっしょに来て「僕、そこで工事したいけど」といったのですが、女児たちの返事はありません。すると、O男が突然「僕、おばたてるまさです」というと、隣に立っているS男を指して「この子は、さくらいりょうすけです」と大きな声でいいましたが、それでも女児たちは応答しないで自分たちの遊びを続けています。そばにいた保育者が、女児たちに「O男君たちここでやりたいみたいだけど」といったのですが、「だけど、Kちゃんたち、ケーキ作ってるの」といって動きません。

実践事例㉕

砂遊び（工事現場をめぐって）

三歳児O男は砂場でスコップを使って穴を掘っています。保育者が「何をしているの」と聞くと、「工事中だよ。ここ工事現場だよ」といってやっています。一メートルほど離れた所でM男がバケツならぬ片手鍋に砂を入れて運び、砂を積み上げスコップでたたいています。そこへK男が来てM男の使っていたスコップを取ろうとしました。そばにいた五歳児A男が「待ってな、僕シャベルを持ってきてあげるから」といって、砂場用具置き場からスコップを一本持ってきてK男に渡しました。K男はそのスコップで砂を運び、M男の山に砂を積み上げました。

Ｏ男とＳ男はあきらめたのか、再び砂場へ行って穴を掘り始めました。十分ほど後、Ｏ男とＳ男はスコップとバケツを持って畑の方へ歩いて行くので、「どうしたの」と保育者が聞くと、「僕たち、違う所で工事するの」との返事でした。あとでＯ男の母親に今日の工事遊びの話をしたところ、Ｏ男は建築や道路工事などのようすを見るのが大好きで、自宅の近くに工事現場があれば「工事中、見にいこうよ」と家族を誘って見に行ったり、ドライブの途中でブルドーザーが見えると、「工事現場に行ってみよう」とせがむので、よく立ち寄るとのことでした。

実践事例㉖

ドロンコ紅茶

園庭で三歳児Ｉ子は、砂の入っているバケツに水を入れ、手でかき回しています。Ｍ子はビニール袋に入っているドロンコをカップにしぼり出して、バケツの中に入れました。保育者が「それなあに」と聞くと、Ｉ子とＭ子が「これ紅茶なの」といいながら、かき回し続けています。そこへ四歳児Ｈ子が来て、「紅茶熱いでしょ。わたしこれでかき混ぜるわ」とシャベルを使いました。三歳児Ｉ子は、手でかき回すのをやめて、自分もシャベルでやり始めたのです。そして、シャベルで紅茶をカップに移して遊んでいました。手でかき回してその感触を楽しみながら、できたドロ水が紅茶であり、紅茶は熱い、熱いからシャベルでかき混ぜる、そしてシャベルでカップにつぐという展開が見られます。このドロンコ紅茶遊びは、日ごろの生活体験から生まれた一連の遊びといえましょう。

実践事例㉗

絵の具スタンプ

保育者は、絵の具を皿に出し、スポンジをガーゼに包み、机の上に出しておきました。

登園した三歳児A子はそれを見つけ、そばにあった白い画用紙にペタペタ押し始めました。それを見たM子は、小さな空箱を持ってきて、絵の具を指先につけ、塗り始めたのです。箱がすっかりピンク色になったとき、M子の手もピンク色になっていました。それで満足したM子は、手を洗い、水がピンク色になったのを見て、小さなビニール袋の中にその色水を入れてヨーヨーを作ってほしいと保育者にいいにきました。保育者にやってもらったヨーヨーを額や頬にくっつけて「冷たいよ。いい気持ち」といい、それを指にはめて「色水のヨーヨーきれいでしょ」とみんなに見せていました。その日は、このヨーヨーを持って帰っていったのです。

色水ヨーヨーは、五歳児たちが色チョークを細かくしてビニール袋の水の中に入れ、色水を作るのを

楽しんでいたものです。それを見ていた三歳児M子は、自分の手を洗ったときの色水から、水ヨーヨーへと興味が移っていったのです。

実践事例㉘

ケーキ作り（ろうそく屋）

三歳児のJ男とD男が砂場用具入れのかごの両側にしゃがみこみ、J男はシャベルで、D男は手で砂をカップに入れています。保育者が「何しているの」と尋ねると、J男はD男の方を向き「な、教えてあげないよね。ないしょ」「僕たちつながってるんだよね」といいました。D男が「うん」とうなずくと、J男は「ろうそく屋だよ。ケーキ作るんだ」と話してくれました。D男は、プラスチックのカメラの空容器に黒砂を入れ、「お砂糖かけよう」と小さな声でつぶやいて、その上に白い砂をかけ、また黒砂を入れて手でたたいて白砂をかけることを繰り返していました。

後日、D男の母親に、この遊びのようすを話すと、その何日か前に、五歳児の姉といっしょにお砂糖を入れてパンケーキを作ったことを聞き、その体験がこの遊びの中に生かされていることを思わされたのです。

J男のろうそく屋については、六月の初めころ、三歳児が砂型でいろいろな形ができるのを楽しんでいたことがありました。保育者がろうそく一本立てましょうと木の枝を立てたとき、誕生日を迎えたばかりのO子とJ男は、「わたしたち、四歳だからろうそく四本立てるの」といって、木の枝を四本立てたそうです。J男にとってろうそくは、お誕生日のケーキになくてはならないものだったようです。

実践事例㉙

泥粘土との出会い

テーブル二個を廊下に出し、泥粘土の軟らかいものと硬めのものを、別々に置きました。すると、硬めの粘土のテーブルの所へ五歳児H男が来て「僕、粘土で恐竜を作ろう」といって、まず胴を作り、それに長い首をつけて「これは、クビナガキョウリュウだぞ。しっぽもつけなくちゃ」といいながら作っていました。それを五歳児S子はじっと見ていました。軟らかい粘土のほうでは、五歳女児の三人が「軟らかすぎる」「手にくっついちゃった」「ベトベトだ!!」と歓声をあげながら、粘土をテーブルの上で延ばしました。

三歳児数人がベトベト粘土のテーブルの周りに集まり、そのようすをじっと見ていましたが、そのうち、M子は、少しの粘土を指先でさわりました。「ちょっと変な気持」という表情です。それがだんだん指先から手へと広がり、粘土のついた両手をくっつけたり、離したりして粘土の粘着力を楽しんでいま

した。他の三歳児もしだいに手を出し始めました。

N男は両手に粘土をにぎりしめ、指を閉じたり開いたりして、粘土のベトベトを楽しみ、そのうちテーブル上にできた線を見て、「僕、この道に車を走らせよう」と粘土の塊の車を走らせました。恐竜を作っていた男児が立去ったテーブルに、五歳女児五人が来て、それぞれが粘土を集め、高く盛りあげて山を作っています。その中にH男の恐竜作りを見ていたS子が混っているではありませんか。S子とY子とO子の三人は、自分たちの山を合体させて大きな山にし、トンネルを作り始めました。粘着力のある粘土なので、穴をあけるのも大変です。それでも腕の半分ほどを差し込んで穴をあけ、三人の穴がつながりました。粘土のしぶきのかかった顔をお互いに見て笑い、そのうちキャッキャッといいながらY子とO子の粘土のなすり合いが始まったのです。その顔は輝き、満足感と喜びに満たされていました。

Y子とO子は、四歳児期にクラスが違ったせいもあって、今までいっしょに遊んだことがなかったのですが、この素材を通して二人はいっしょに遊びを楽しみ、充実感を味わったようでした。Y子は帰宅して母親に「今日は粘土をしてとっても楽しかったんだから」と、着替え入れの袋から粘土で汚れた上着を出して見せながら話したとのことでした。

四歳児は五歳児の去った後、手を洗うために用意

してあったバケツの水を手でくみ出し、粘土につけて、「ドロドロだ」「手と手がくっついてしまうよ、ほらね」「粘土がつるつるするよ」と粘土の感触を楽しんでいました。四歳児C子が指でしっかりつけた三本の線の上を、電車の大好きなY男が、指でなぞって楽しんでいる姿も見られました。

三歳児は、入園して初めて触れた泥粘土を、最初は五歳児のやっているのをじっと見ているだけだったのが、指先だけでちょっとさわることからしだいに手の平全体になり、指をにぎったり開いたり、両手をくっつけたり、離したりして、粘土への興味を示し始めました。四歳児は、粘土そのものの感触を楽しみ、五歳児は仲間といっしょに表現する楽しさをみせてくれました。

㈡　泥粘土は信楽《しがらき》の水《すい》ひを使用。

（東京都・城西幼稚園　菅沼和恵）

事例コメント

さわったり、いじったりすることから生まれる遊び

この記録は、日常よく見られる三歳児の遊びを、いわばオムニバス的に紹介しています。「さわったり、いじったりすることから生まれる遊び」とタイトルがついていますが、むしろ、もう少し大きくとらえて、子どもの遊びが生まれる背景にある「日ごろの生活体験から生まれた一連の遊び」といったほうがいいかもしれません。

もちろん、ここには、砂、粘土、水、泥、絵の具などを使った遊びが出てきます。しかし、これを読んでみると、浮かび上がってくるのは人間関係であり、それがとてもおもしろいのです。

「砂遊び」の工事現場の大好きなO男をめぐるエピソードでは、ケーキを作っている五人の女児に立ち退きを頼む場面で、「僕、そこで工事したいけど」と遠慮がちに頼みます。でも、女児たちは知らん顔。すると突然、O男は名乗りをあげ、ついでに同伴のS男の名前も紹介します。この礼儀正しい紳士たちに対して、女児たちは保育者の仲介も空しく、多勢をたのんで頑として動きません。O男たちはあきらめて他の所へ移動します。このあたり、現代の大人社会を彷彿させてほほえましい風景ですが、この保育者もあっさりしていていいですね。躍起になって「あんなにいってるのだからかわって

あげなさい」といいたくなるものですが、子どもの自然なかかわりを見守っておられるのでしょう。

その前の、M男のスコップをK男が取り上げようとした場面でも、そばにいた五歳児のA男が「待ってな、僕シャベルを持ってきてあげるから」と、ちゃんと余分のスコップを持ってきてやっています。日ごろ、異年齢児の交流がごく自然に行われていて、年長児が三歳児に対してお兄さんらしくかかわっています。これには感心しました。それというのも、トラブルを見つけたら、すわ一大事とばかり保育者が駆けつけて問題を解決する（というより）裁決を下すのではなく、見守りの姿勢でいられることが、こうした関係を育ててきたのだろうと思います。さきの、やや図々しいと見られる女児たちの行為にしても、そう見たいのは大人の常識であり、三歳の女児が五人も頭を寄せ合ってケーキ作りに夢中になっていたとすれば、その気持ちもくみ取ってやらなければならないでしょう。こんなとき、三歳児の世界にそのまま大人の価値判断を持ち込むのは危険です。

ただ少し気になるのは、この保育者の言葉かけが「何をしているの」「どうしたの」（工事現場）、「それなあに」（ドロンコ紅茶）、「何しているの」（ケーキ作り）と列挙してみると、ちょっとワンパターンになってはいないでしょうか。たしかに、子どもたちが何かしているところへ顔を出すのに、「何をしているの」「何を作ってるの」というのは便利なあいさつだと思います。見ればわかるときでも、ついこういいたくなりますね。会話のきっかけのようなものでしょう。それを機会に子どもとの会話が始まります。その意味では成功しているのですが、こういう質問が本当に必要なのかどうか、はたして答えを聞きたいのか、もっと他の対応がないのか（この保育者のことではなく、みんなで）考えてみたいと思います。ふだんは何気なくいっていることでも、書いてみると気づかされることがありますね。

それから、感心させられたことは、子どもの遊びの状態を、その日迎えにきたお母さんに伝えている姿勢です。O男の遊びも自宅近くの工事現場に興味を持ち、いつも見ているからだということが、お母さんの話からわかってきます。そのうえ「工事中、見にいこうよ」とか、ドライブの途中でもブルドーザーが見えると、「工事現場に行ってみよう」とせがむので立ち寄る、理解のある家族の姿も浮かび上がってきます。

ケーキ作りのD男の場合も、何日か前に家でパンケーキを作ったことがお母さんの話で明らかになります。つまり、三歳児の遊びの中には、日常生活で印象に残った場面が再現されることが実に多いのです。その意味では、生活経験の豊かな子どもほど、遊びの内容が豊かであり、表現も多様になってくることがわかります。ここでいう経験は、実際に自分がしたことではなくて、他の人のしていたことを見、それを記憶して、その行為を模倣していることです。

最後の事例㉙の泥粘土では、年長児の取り組みを、そばでじっと見ています。恐竜を作っている男の子の手元を畏敬の目で眺めたり、やわらかい粘土でベタベタやっている女の子たちをうらやましそうに眺めていたことでしょう。恐竜は無理としても、ベタベタのほうは自分たちにだってすぐまねできます。がまんしきれずにそっと指を出してさわり、しだいに大胆になって掌全体でベタベタやり始めたようすが生き生きと描かれています。これは、目の前の年長児の姿に誘われての模倣です。

この園では、いろいろな場面で五歳と三歳がいっしょに遊んでいるところが出てきます。砂場はともかく、粘土の場面では、廊下に置いた机とはいえ、一般の園ではおそらく五歳児の保育室の前だと想像されます。でも、そこにさりげなく三歳児が混じっていても、別に違和感のない保育のあり方に敬意を表したい気持ちです。子どもを見る目の暖かさとともに、こうした自然な異年歳児の交わり、遊ぶ場所の自由さ、そして遊ぶ時間もたっぷりあることでしょう。こういう背景が、いわゆる、主体的に環境にかかわり、多様な表現を育てる土壌になっているものと思われます。

さわったりいじったりすることの意味

●砂をシャベルで掘り返しているうちに、工事現場を思い出し、その遊びに移っていく。
●バケツに泥水を入れてかき回しているうちに連想がわき、「紅茶なの」という。
●カップに砂を詰めてロウソクに見たて、「ケーキ作るんだ」という。
●白砂を振りかけて「お砂糖かけよう」という。

以上のような遊びを考えてみると、たしかに、ものに触れ、あれこれいじりまわしているうちに、日ごろの生活経験から似通った場面を連想して遊び始めています。ですから、そういうタイトルをつけられた気持ちもわからないではありません。

でも、ここでは感覚のことを考えてみたいのです。砂のザラザラした手ざわり、シャベルを突き立てるときの（地面よりは）軟らかく、（泥んこよりは）固い手ごたえ、乾いているとサラサラと手からこぼれるが、湿っているとぎゅっと握りしめられる質感、砂のついた手をはたくと、あらかた落ちたあとに細かい粉のような土やキラキラ光る雲母のかけらがくっついていて、水で流さないとなかなかとれません。砂を両手にいっぱいすくったり、バケツに入れて運ぼうとすると、砂って重いなと感じます。砂で夢中で遊んでいるうちに、砂の性質を余すところなく感じとっています。子どもの感情を豊かに育てるなどといいますが、まず感じとることができなかったら、感情もわかないのではないでしょうか。

この記録の中にも感覚器を働かせた多くの事例が見られます。

―泥水の色が似ているので紅茶に見たてる。
―紅茶は熱いから指で触れないで、シャベルでかき混ぜる。
―絵の具スタンプを白い画用紙にペタペタ押す（そこについた模様を楽しむ）。
―指に絵の具をつけて箱に塗りつける。
―指についた絵の具を水で洗い、ピンクになった水を見てヨーヨーを思い浮かべる。
―ヨーヨーを頬につけ「冷たいよ。いい気持ち」「きれいでしょ」と見せる。
―粘土のついた両手をくっつけたり、離したりして粘着力を楽しむ。
―粘着力のある粘土に穴を開けるのは大変。
―粘土に水をつけて「つるつるするよ」という。

こうした子どもの感覚でとらえた表現（必ずしも言葉になるとは限らず、表情や身体全体で感じたことを表現していると思うのですが）をきちんと受け止めて記録していることが大切なのです。記録の中には、その場で保育者がどう反応したのか、何といったのかは記されていませんが、少なくともそういう子どものようすを共感しながら見ていることは想像できます。

実は、子どもの表現を育てる保育者の最大の援助は、〝共感してやること〟ではないでしょうか。子どものようなみずみずしい感性で、驚き、喜び、ワクワクすることができる、いわば自分の中に子どもの心を持っている大人は少ないものです。しかし、子どもと同じ気持ちにはなれなくても、子どもが感じていることを想像し、思いやることはできるでしょう。

「先生が、ぼくのしていることをおもしろいと思ってくれている。先生もうれしいにちがいない」、そう思えた子どもたちは安心してのびのびと表現を楽しむことができるのです。反対に「こんなことをして叱られはしないか」とびくびくして大人の顔色をうかがうようでは、表現力は萎縮してしまうでしょう。泥んこも土粘土も絵の具も色水も、汚れるからと家ではなかなかさせてもらえない遊びです。でもこのような感覚そのものを楽しむ遊びが、幼児のさまざまな表現を生み出しています。

子どもの成長を育てる保育者の援助は、いうまでもなく環境を用意することです。右にあげたような土や水などの自然、さまざまの素材に心ゆくまで触れて遊ぶことのできる場所、時間的余裕のある日課、共感をもって子どもの活動を見守る保育者の存在も重要な環境です。その遊びを見通しながら、次の活動を誘うものをさりげなく出しておくことも大切です。

ただ、事例㉕～㉙を読んで残念に思うことは、とてもよい保育をしておられると思うのに、記述が少ないので、よほど行間を想像して読まなければ、周りの子どものようすや前後関係、保育者のかかわりなどが読み取りにくいきらいがあります。色水遊びの場面など、もう少し状況が詳しくわかったらなおおもしろいのにと思います。

〝表現〟という言葉のとらえ方は難しいと思いますが、何かを作りあげた成果としてでなく、このように、子どもが遊びながら身体全体で知覚した感じを楽しんでいる、その姿を表現としてとらえておられることに共感を覚えます。ことに三歳児は遊びそのものがその子どもの表現であり、十分遊ぶことで表現活動の芽が育っていくのだと思います。

（愛媛県・松山東雲短期大学　吉村真理子）

㈢ しゃべったり、うたったりする遊び

五月の連休を終えるころから、少しずつ生活のリズムにも落ち着きが見られるようになってきました。最後まで母親の手を離せなかった子どもも、保育者といっしょならブロックで遊んでみようとするようになりました。保育室の中には、壁面や四隅を使って少しでも遊びがじゃまされずに楽しめるように、簡単な囲いが必要となってきました。入りこんだり、または外に出かけて行くときの基地として使うなど、気持ちの安定と大きなかかわりをもっての配置となります。

ままごとコーナーでは、やたらに引き出しの中からお皿やエプロンなどを持ち出して広げて遊ぶという姿が少なくなってきて、自分の使いたい物にこだわるというようすが見られるようになりました。ままごとに使う道具類の数との関係から、取り合いがいろいろな形で生まれてきます。

実践事例㉚ コケコッコー、朝ですよ

H子、D男、Y男の三人は同じ方面から通園するので、仲よしになりました。お互いにいっしょにくっついていると安心するようで、同じ物を持ったり、同じ物を身に付けてよく遊んでいます。H子とY男は一人っ子、D男には一歳違いの姉がいます。行動のうえからは、黙ってさっと自分の欲しい物を手に入れる力はD男の方が強いので、後から同じ物を欲しくなるH子とY男によってトラブルが生じるようになりました。まだ言葉でのやりとりがうまくいかないため、どうしたら手に入るか身体を使っての競い合いとなります。

H子たちがよくこもって遊ぶ小さなままごとコー

ナーで、今日も三人はいっしょに遊んでいましたが、D男が人形用の布団に寝ころがったことにとても興味を持ったようです。

D男　「ぼく眠くなっちゃったから、お布団敷いて寝ましょう」

H子　「Hちゃんもお布団使いたい。Hちゃんのお布団、Hちゃんの！」

二人のようすを見ていてY男も引き出しのところへ行って布団を探します。D男とY男は二枚の布団を手に入れ、一枚を敷布団にし、もう一枚を掛布団にして、床に気持ちよさそうに休みます。H子は、それを見て地団駄を踏んで怒ります。

H子　「Hちゃんの、Hちゃんのがない！」

D男　「お布団敷いて、電気を消して、テレビを消して、寝ましょ」

D男の調子のよい言葉、これは〝あわぶくたった〟のわらべ歌遊びの中に出てくる言葉です。それに合わせてY男もおなかに布団をのせてバタンと横になります。

引き出しの中にもう布団が残っていないということがわかったH子は、力づくでなんとかしてもう一

枚の布団を手に入れたいと思い、二人の動きを見つめます。

〝寝ましょ〟と体を浮かした瞬間にさっと敷布団のほうを引っ張って取り、H子は二枚の布団を手に入れ、ギュッと抱えこみます。Y男はH子から取られた布団を取りかえそうとします。

寝るばかりではおもしろくない。夜が来たら朝が来ると、D男は考えました。みんなを起こす調子のよい言葉を思いついたようです。「コケコッコー、朝ですよ！　コケコッコー、朝ですよ！」必死で獲得した布団にしがみついていたY男もH子も起き上がります。するとすぐに、D男は、二枚の布団をさっと自分に引き寄せると、「夜です、夜です。お布団敷いて(早口でいう)、電気を消して、テレビを消して、寝ましょ」と声をかけます。

H子とY男の二人には一枚の布団を取り合う場面が多く生じましたが、〝朝〟という言葉を使うことのおもしろさを知ってからは、「コケコッコー！　朝ですよ」を連発し、真剣な競い合いから、速さの競い合いの妙味へと興味が移っていったようでした。

三人は、五枚の布団が生み出す数の不足を切実なるやりとりの中から身体を通してわかっていったようで、その不足数が三人のかかわりをより深めていたということは興味深いことです。その中で、ふと浮かんできたわらべ歌遊びのリズミカルな言葉、速さを変えたり、強弱を変化させながら繰り返すことの心地よさを楽しんでいたようでした。

実践事例 ㉛

T男ちゃんのバス

六月を過ぎるころから、子どもたちは自分の好きな遊び、やりたいと思う遊びがはっきりとしてくるようになります。自分の物を何日も大切に使っていくようすが見られるようになります。この時期には、保育室の中もかなり整理されるようになり、必要なコーナーを確保しておくようにするとともに、動きが活発になってくる遊びの場を広げるようにしていきます。

大型のビニール製の積み木は、子どもたちにも扱いやすく、思うような形に変えられることから魅力があるようです。自分の乗り物を作りたいという気持ちが強く出てくるのは、例年の自然な姿といえるようです。

T男は、父親がバス会社勤務であることも影響して、自動車が大好きです。大型の積み木の三角柱や直方体を組み立てて、形のよい自動車を作って楽しそうです。

「先生、壊れちゃう！乗りたいよう」というT男の要求に、接着力のある綿テープを切って渡しました。長くつなげると広い座席ができたようで、うれしそうです。

A子　「Tちゃん、乗せて」
T男　「まあだ、まだ、修理中です」
T男　「ライトつけなくちゃ、夜走れないもん」

T男は、空箱入れの中からプリンのカップを探し出してきて、前面にはりつけました。

A子　「Tちゃん、乗せて」
T男　「Aちゃん、どこに行くの？」
A子　「千波十文字（自分の家の近くのバス停）」
T男　「整理券をお取りください。整理券をお取りください」

T男は少し甲高い声で、何度も繰り返します。バスの入り口で流されるテープの声をまねているようです。A子が乗ると、〝チン〟と整理券を引き抜いたときの音を言葉で入れます。

T男　「プシュー！（ドアの閉まる音）発車します。このバスは千波十文字行きです。千波十文字は遠いです」

遠いですという言葉は、A子に長くお客さんでいてほしいと思っているからでしょう。

T男　「次は南町二丁目、南町二丁目、ダイエー前です。あぶないから止まってから降りてください。（急に調子を変えて）整理券をお取りください。危険（危険物の持ち込み）は、あぶないです。危険はやめてください。走ります。次は大工町、大工町です」

お客さんの乗り降りを期待しながら、一人でやりとりをしながら進めています。バスに乗っていて、運転手さんの動きをよく見ていることがわかります。A子もそろそろバスから降りたくなったようです。

A子　「Tちゃん、こんど千波十文字？」

T男　「まだ、まだ、このバスは工事中で遠回りします。だからまだだよ」

A子　「次、降ります。ピンポーン、ピンポーン。降りるよ」

T男　（しかたなさそうに）「ここにお金を入れてください。ありがとうございました」

A子が降りてしまって一人になったT男は、お尻と足をうまく使って保育室の中を走り回ります。

T男　「ブーブブー、ブー、右に曲がります。ブッブー、ブッブー、あぶないです。どいてください。ぶつかるよ」

T男は、身体全体で右へ左へと動かしながら、バスの運転を楽しんでいます。動きながら、T男はいろいろな遊びの場と小さなかかわりをもっていくというようすが見られました。今まであまりのぞいたことのなかったウサギのおうちの入り口で長いこと停車していました。ウサギの家では、N子お母さんが子ウサギのお客さんにお料理を作って出していました。

N子　「さあ、できましたよ。みんな手はきれいですか。おいしいケーキが焼けたの」

M子　「きょうは、Mちゃんのお誕生日ね」

A男　「違うよ、Mちゃん四つになった」

もう誕生日はすんだといいたいようです。N子お母さんが座ると、〝ハッピバースデー〟の歌が始まり、楽しい食事となりました。

やりとりをじっと見ていたT男は、にこっとすると、再びバスを動かし始めました。

R男　「ピーポー、ピーポ、直すとこありませんか。ピーポー、ピーポー、壊れたとこ直します」

T男　「ガソリン、入れてよ」

R男　「いいよ。M君のに入れたらTちゃんね。満タン？」

T男　「なに？　満タン？」

R男　「いくつ入れるの」

T男　「いっぱい入れて、いっぱい入るよ」

R男のガソリンスタンドに立ち寄ったT男は、ガソリンをたっぷり入れてもらうと、また元気に走り出しました。

子どもたちの心をとらえた小さな遊びの中で、想像性はさまざまな言葉を生み出しています。繰り返したり、強弱や高低をつけたりするうちに、そのも

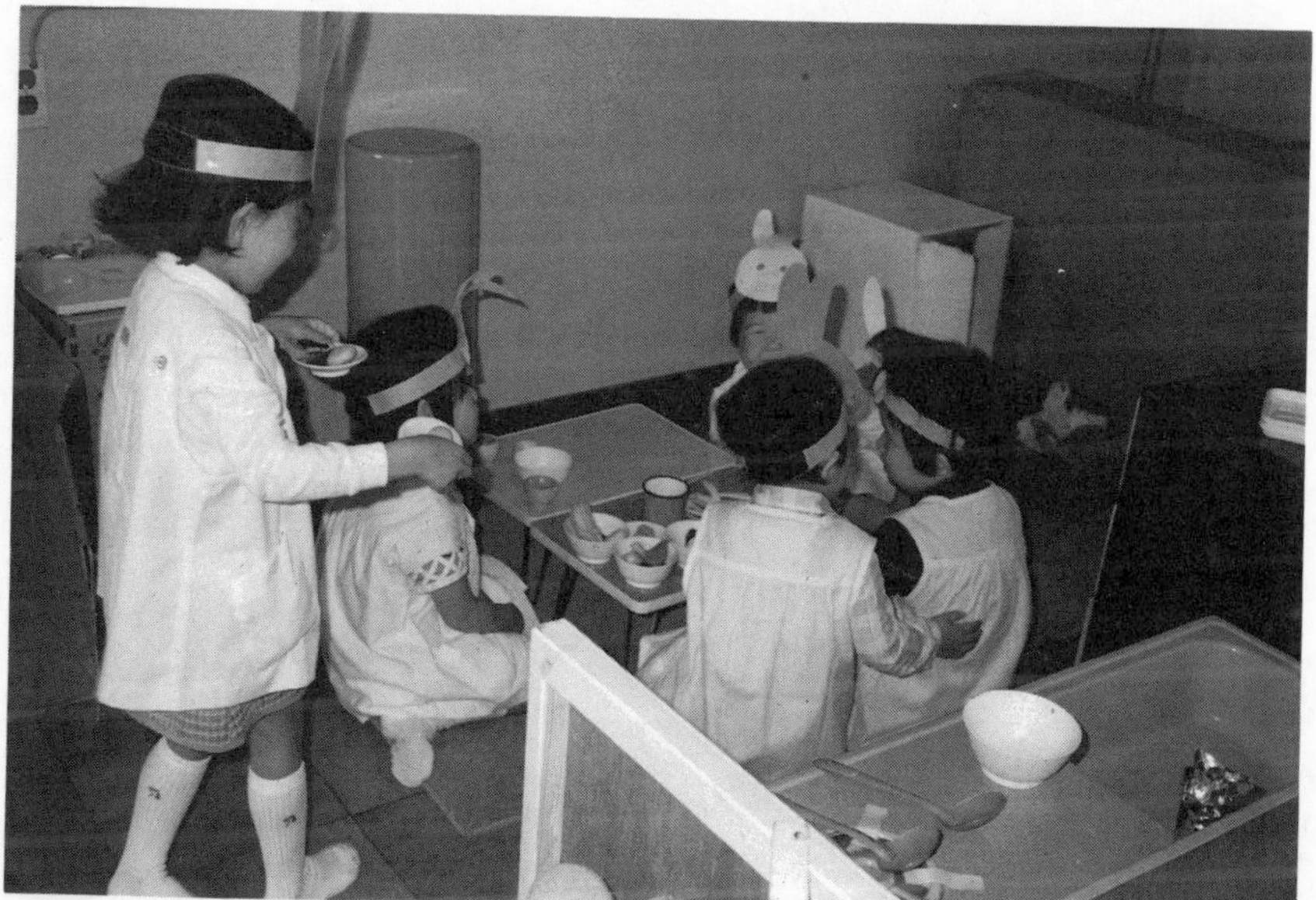

のになって遊ぶ楽しさが増すことに気づいていきます。そしてさらに、保育者や友達が受け止めてくれると、表現する楽しさは大きくふくらんでいきます。

子どもたちの小さなつぶやきに耳を傾け、心の動きをとらえて、かかわりの場での豊かな表現を楽しめるように、今この子どもが求めているのはと考えながら、ゆったりと受け止めていく保育者の環境としての意味は大きいように思われます。

（茨城県・茨城大学附属幼稚園　山路純子）

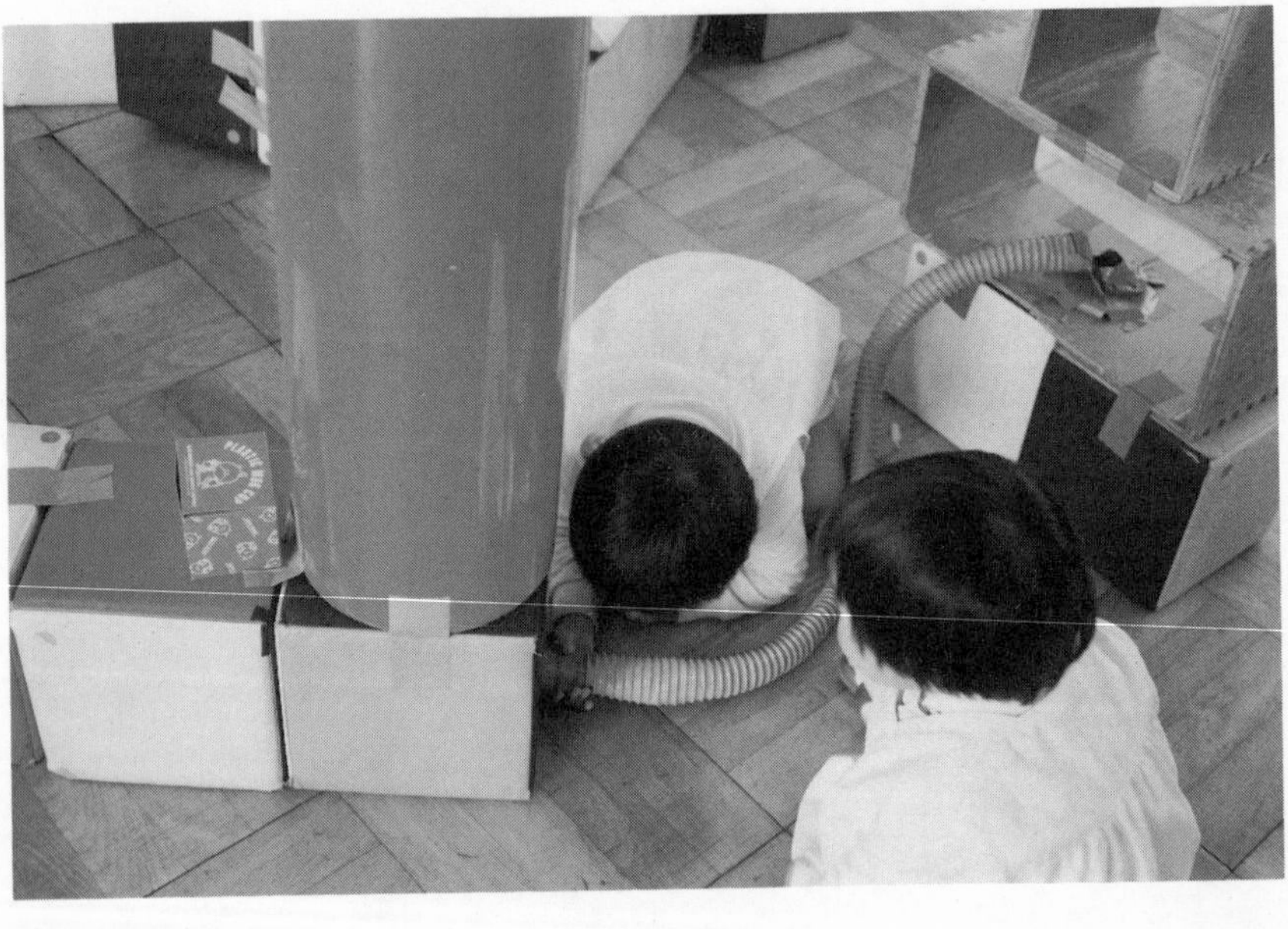

事例コメント

しゃべったり、うたったりする遊び

コケコッコー、朝ですよ

三歳児が遊んでいるところには必ずワイワイおしゃべりがつきものです。それは、ちょうど三歳という年齢が、やっと単語を助詞や助動詞などでつないで一つの文章にすることができ、大人と同じように話せることの喜びを精いっぱい感じているからに違いありません。それにしても、言葉が使えると、なんと遊びがおもしろく劇的になってくることでしょう。

最初の事例㉚の、布団をめぐっての攻防戦も、言葉がなかったら、ただのけんかにすぎなかったかもしれません。それが「コケコッコー、朝ですよ」という呪文を用いたために、みんながその言葉に左右され、起き出したすきに、布団を引っぱって取るというおもしろいゲームになりました。朝が来たことをニワトリがときをつくるという伝承的な〝唱え言葉〟で知らせています。現在では、朝、ニワトリの声を実際に聞くことはほとんどないだろうと思うのに、「コケコッコー、夜があけた」というい方が伝わっているのがおもしろいと思います。わらべうたと同じように、意味は全然わからなくても、子どもたちが喜んで唱えたい調子のよいリズムと響きがあるものとみえます。

また、朝、夜という言葉を覚え、その言葉によって寝たり起きたりする一日のリズム、昼と夜が交替するおもしろさを遊びの中に感じているのでしょう。飽きもせずに、それだけのことでも遊びになります。ここにも三歳児が言葉の持つ不思議さに新鮮な感動を覚えているようすが表れています。二歳ころまでに覚えた単語は、ほとんど目に見えるもの、身近な具体物の世界に限られていました。ところが、朝・夜などという壮大な抽象の世界を表す言葉の内容がわかってきたのです。新しく覚えた言葉はすぐ使ってみたくなります。それと同時に「コケコッコー、朝ですよ！」と叫ぶと、みんながそれを聞いただけで（そばに行って引っぱり起こさなくても）起きてきます。つまり、言葉だけで人を動かせるという、言葉の威力を実感し、楽しんでもいるのだと思います。もう一つは、言葉の響きやリズムの魅力でしょう。調子のよい言葉は、ほとんど生理的といってもいい快感を子どもたちに与えます。

調子のよさといえば、布団を敷く場面で、D男が「お布団敷いて、電気を消して、テレビを消して、寝ましょ」と、わらべうたの「あわぶくたった」からその一節を引用して、動作に合わせて歌っています。これはかなり高度な言葉遊びではないでしょうか。その場面ぴったりの言葉とリズムを持った歌を、自分の知っているうたのレパートリーから捜し出してくるのですから。

この即興の歌の調子のよさはすぐ仲間に伝わって、みんながその歌を歌いながら布団を敷くようになったことでしょう。コマーシャルソングの調子のよさが、覚えやすさの鍵であることがよくわかります。

この保育者が書いているように、「三人で、五枚の布団が生み出す数の不足を、切実なやりとりの中から身体を通してわかっていったようで、その不足数が三人のかかわりをより深めていたということは興味深いこと」だと思います。力による取り合いでなく、言葉（それもリズミカルな唱え言葉）が加わったことで、頭を使うゲームに変わっていったのです。腕力よりも、問題解決には言葉が有効であることがよくわかります。

T男ちゃんのバス

入園当初、園で泣かずに過ごすことが精いっぱいで、保育者が用意した物にちょっと手を出したり、誘われて遊んでもらう状況が続いていた三歳児たちも、二か月たつとやっと安心してきたようです。そろそろ自分で何かやりたいと室内を物色し始めます。T男はお父さんのようにバスを運転したいと思って、大型積み木を使ってバスの形を作りました。ところが運転席に座り足を踏んばると、座席は後ろにすべり、バスの前部は積み木がずれて開いてしまいます。

「先生、壊れちゃう！　乗りたいよう」とは、（ぼく、乗りたいのに、乗ると壊れちゃんだよ。先生なんとかしてちょうだい）という意味ですね。この保育者は、ちゃんとT男の「乗りたい」という希望をくみ取ってそれをかなえてあげました。

これは大事なことですね。子どもは〝こういうふうにしたい〟という願いを持ちますが、三歳児にはまだそれを実現する手だてを持っていないことが多いのです。そこはなんとか実現させてやりたいので手助けします。事例には「T男の要求に（応じて）、接着力のある綿テープを切って渡しました。長くつなげると広い座席ができたようで、うれしそうです」とだけありますが、実際には次のような場面が展開されたのではないでしょうか。

保育者は「これで、こうやってつなげようね」とT男の手に持たせてやりながら、手を添えてガムテープをはっていったと思います。「今度はどこをつなげようか」と聞いてやりながら、さりげなく、バスの前面を固定するなど、あくまでT男の希望に添う形で手助けしたと思うのです。

保育者の援助とはこういうことだと思います。子どもが何を望んでいるかを、わずかな言葉の背後にある状況からくみ取って、あくまで子どもの意向を尊重しながら、その子の能力に応じた手助けを目立たぬようにする。これでT男は満足し、安心して次の創造的な活動を生むエネルギーができました。もし、この段階でバスがバラバラになったままで、保育者が気がつかなかったら、あるいは保育者の方が熱心になりすぎてバスごっこの主導権を握ってしまったら、T男はいや気がさして遊びをやめてしまうか、受け身で保育者にリードされるままになってしまったかもしれないのです。

その後のT男の言葉は、爆発的といっていいほどあふれ出てきます。ごっこ遊びは日常生活で見聞きしたことの再現とはいうものの、バス内のアナウンスを、整理券を取るところからバスの行き先、バス停の名と順番、危険物持込みお断りまで滔々としゃべるのは驚きです。やはり父親のバス会社勤務の影響は強いですね。T男にとってお父さんは憧れの的であり、「大きくなったらお父さんのようになりたい」と思っているからに違いありません。そんな父子関係が想像されます。三歳児は、その気になれば、こんな業務上の長い言葉さえ覚えられるものかと驚きました。

もっとおもしろいのは、ドアの閉まる音（プシュー）、降りる合図（ピンポーン）、警笛（ブーブーとブッブーの使い分け）など、適切な擬音が頻繁に使われていることです。音色としてもおもしろく、三歳児は好んで使いたがりますが、擬音を入れることで臨場感が高まり遊びが生き生きとしてきます。

A子が唯一の乗客で、T男は張り切ってアナウンスを続けていたのですが、A子が降りたくなっても降ろさせないように、「まだ、まだ、このバスは工事中で遠回りします。だからまだだよ」と必死で引きとめ策を考えるところなどかわいいですね。好きな女の子と少しでも長い間いっしょにいたいという気持ちと、この（得意の分野であるバスごっこという）遊びをもっと続けていたい気持ちの両方があったのでしょう。

するど、A子は「次、降ります。ピンポーン、ピンポーン、降りるよ」と実行使に出ます。一人になってしまったT男は、今度は自分がバスになって「お尻と足をうまく使って保育室の中を走り回る」のです。三歳児ならではの発想です。そうして走り回りながら、いろいろな遊び場をのぞき、（そこにいる子どもたちと）「小さなかかわりをもっていくようすが見られました」とあります。これも、充実したバスごっこができたという満足感がそうさせた、あるいはA子との短い付き合いが、他の幼児にも関心を向けるきっかけになったのかもしれません。

ウサギのおうち（子どもたちがウサギごっこをしている）の入り口で立ち止まり、中の誕生パーティを眺め、ニッコリしてからバスを動かして（実は自分が動いて）立ち去ります。直接、言葉を交わしてはいませんが、ウサギの一家と気持ちを一つにしています。ハッピーバースデーの歌が終わるまでじっと見ていたのは、心の中でその歌をいっしょに歌っていたのだろうと思います。とてもよい場面ですね。終わるとまた、自分がバスであることを思い出して出発します。

三歳児が一つの遊びをこれだけ続けることができるものかと感心したのですが、保育者がこの子どもの動きを丹念に追っていることにも感心しました。漠然と見ていたのでは、T男はそこでバスごっこをしている、N子たちはウサギのおうちごっこをしている、今日はよく遊んでいたな、で終わってしまったかもしれません。それと、子どもの言葉をよく聞き取って、きっとメモしていたのでしょう。

言葉は、他の幼児とのかかわりをスムーズにし、深める役割を果たしています。グループの遊びは、言葉による約束事の上に成り立っています。二歳から三歳にかけて他の幼児への興味関心が高まり、いっしょに遊びたいという願いを実現させる条件の一つが言葉を話せるということです。大人の話す言葉を聞き覚え、必要なときにそれを出して使うことがうれしくてたまらないのが三歳児のおしゃべりでしょう。言葉による表現手段を獲得した子どもたちは、どんどん自分の世界を広げていくとともに、みんなと共有できる世界を持つことができるのです。

この保育者が書いているように、「保育者の（言語）環境としての意味は大きい」のですから、子どもの言葉に耳を傾けると同時に、自園の言語環境をよくよく考えてみてほしいと思います。

（愛媛県・松山東雲短期大学　吉村真理子）

㈣　ロケット作りからネコちゃんごっこへ

〈はじめに〉

四月、二歳児組より移行した子どもたち（十四名）と、新入園児（四名）で、新しくクラスがスタートしました。新入児の中に慣れにくい子がいたために、約一か月間は落ち着かない雰囲気でした。新入児が落ち着いてくると、在園児も落ち着いてごっこ遊びを楽しむようになりました。在園児は、一歳児のころから〝まねっこ〟遊びの好きな子どもたちだったので、保育者側も子どもたちの姿を大切にしようと思い、身近に〝まねっこ〟遊びのできる遊具を設定し、やりたいときにすぐできる環境を整えました。

ブロックや積み木などの構成遊びの好きな子は、身近な剣やお菓子から、大型積み木でお家や車を作るなど、作る物がだんだん大きくなっていき、子どもたちの中でのごっこ遊びがより広がってきたようです。ホールは、下の図のような設定をしてあります。子どもたちはここで、〝ままごと〟〝造形〟〝構成〟の遊びを楽しめるようになっています。

ホール内の図

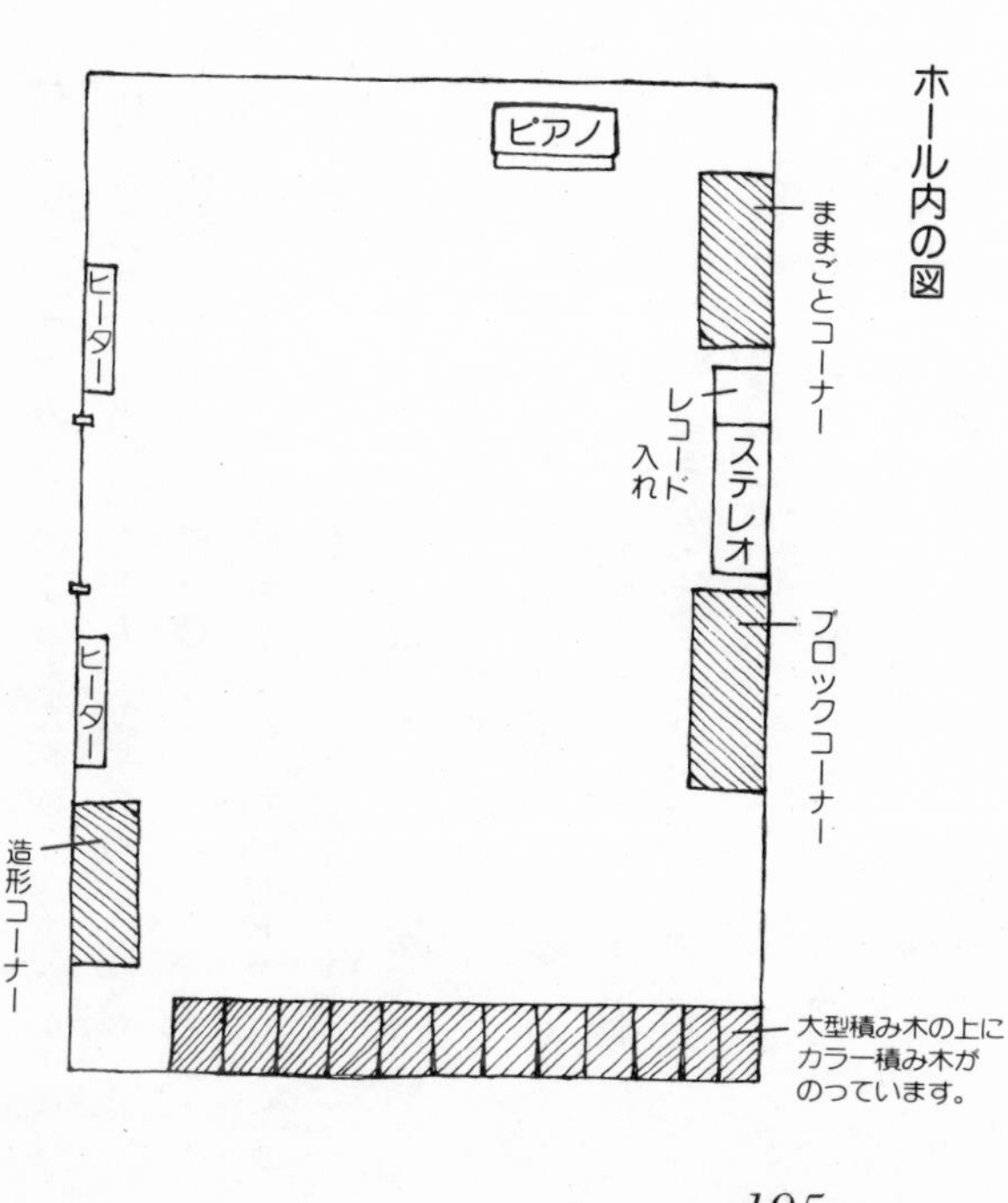

実践事例㉜

ロケット作りからネコちゃんごっこへ

六月に入ったある雨の日のことです。M男（三歳八か月）が一人でホールに入り、隅に積んであるカラー積み木を取り出して遊び始めました。M男がカラー積み木を二、三個並べたところへ、T男（四歳一か月）が入ってきました。いつもM男が、城や家など楽しい遊びにつながる物を作っているのを知っているT男は、何もいわずにM男の遊びに加わりました。M男はT男と気が合うせいか、T男の存在をすんなり受け入れ、「ロケット作っているんだよ」と笑顔で伝えていました。二人は積み木を積み上げたり、運んだりするときに、それぞれイメージがあるようで、「ガチャン」「ビュー」など、いろいろな言葉をいいながら、お互いに自分の遊びに熱中しています。

M男たちの遊びを見て、A男（四歳一か月）、J男（三歳八か月）、S男（三歳八か月）、Y子（三歳八か月）、B男（三歳三か月）、Y男（三歳八か月）、S子（四歳一か月）の七名の子どもたちが、「入れて」「何しているの」といいながら、M男の遊びの中に入りました。それぞれカラー積み木を持ってきて遊び、並べたり重ねたりし始めました。初めに作り出したM男が、「ロケットを作っているんだよー」と話したことにより、子どもたちは、それぞれ自分のイメージの中で、ロケット遊びを始めました。

カラー積み木で作った運転席に座り、「バーン、ガラガラ」と、迫力のある言葉をいい、ロケットを運転している子、できあがってきたロケットの中に箱を持ち込み「冷蔵庫だよ」といって中にブロックを入れている子（なめるしぐさからアイスクリームのようです）、井型ブロックをただ並べてそれに夢中になっている子、引き続きロケットを組み立てたりしている子、中でお話しをしている子（遊びながら、あるいは座りこんで）などさまざまです。

そんな中でもT男だけは遊ばずに、積み木を崩してしまったり、積み木遊びとは関係なくふざけている子などを見つけては、「なんで壊すの？」「やめろよ」といっています。いつも大勢での遊びになると、自分の遊びを壊されることを嫌がり、遊ぶことより

見張り役になりがちです。T男は、三人兄弟の真ん中で、すぐ下の二歳児クラスに妹がいます。家での遊びでも、自分の遊びを守るために、妹が近づいてくると、崩されることを予測して他の場所に移動したり、他のほうに気を向けさせたりしているようです。気の合う子どもたち数人いっしょのときや、一人遊びのときは、よく遊びこむ子どもですが、他の幼児が集まり遊びが崩されそうになることを察知すると、どうしても見張り役になってしまうようです。

ロケットの中で遊んでいる子の言葉を、よく耳を傾けて聞いていると、「お父さんが〝オモチャ捨てる〟っていっていた」など、遊びとはまったく関係のないことをいったり、遊びの中から連想したことなどをいっています。例えば、B男が、「赤ちゃんだってロケットに乗れるよね」といいました。それを聞いたS男が、笑いを相手に求めるように、「野菜だってロケットに乗れるよね」といいました。数人が笑うと、「ネコだってロケット乗れるよね」とB男。それを聞いた他の幼児がともに笑いを求め、〝○○だって〟に入る言葉（厳密ではなく言葉のひびきで）を、もっとおもしろいものはないかというように、自分たちの頭をひねっては考え、それをいっては笑い合っていました。最後には、「うんこだって、ロケットに乗れるよね」となり、大笑いになりました。その後、だんだん笑いがなくなり、そんなやりとりはしなくなりました。

そんな言葉のやりとりの途中で出てきた「ネコ」という言葉がひっかかったS子とJ男は、「ネコちゃんですよ、ニャーオ」と四つんばいで、ネコになりきって遊びだしました。それを見たM男は、はって通れる程度のトンネルを作り、「ここは、ネコちゃんの入る所ね」といいました。S子とJ男が楽しそうに出入りするのを見て、「僕もネコになる」と他の幼児も加わり始めました。

トンネルを通るのを楽しんだあと、S子が「私、ネコのお母さんになる」といいました。ふだんはお姉さん役の多いおっとり型のS子は、トンネルを目の前にしてお母さんになりたくなったようです。また、それをきっかけにつぎつぎと、「私、お姉さん」「僕、赤ちゃん」と役割の希望を出し、それらの役になり始めました。さっきから見張り役の多いT男も、それをきっかけにネコのお兄さん役になり、ホ

ールの隅にあるままごとコーナーから、布団やバッグなどを持ってきました。それを使ってお母さん役の子が、「赤ちゃんはネンネです」と人形を寝かせ、お姉さん役の子は、「お姉さんはお勉強ね」と、それぞれの役になりきって遊び始めました。その中でも、M男、Y男、A男は、ままごと遊びの役割には加わらず、ロケットを運転したり、ロケットを部分的に作ったり、作りかえたりして、満足そうに遊んでいました。

お母さんネコ役のS子と、お兄さんネコ役のJ男が、「買い物に行こう」と、ホールのままごとコーナーまで行き、「○○ください」「はい」と、お金を渡すまねをして遊び始めました。J男は、「僕、お店の人になってあげる」と、平均台の上にフェルトで作った魚やハンバーグのオモチャを並べました。「さあ、いらっしゃい、いらっしゃい」と、お店屋さんごっこが始まりました。また、他のネコ役になりきって遊んでいたY子も、「私もお店屋さんになる」といって店員になりたがりました。「いいよ」とJ男、M男、K男(三歳八か月)、S子が買いに来るネコ役になり、何回か買い物ごっこの「ください」「はい、三百円で

す」とレジを打って渡すやりとりをして遊びました。

思ったよりたくさんの子どもが参加したこの遊びの中で、小さなトラブルがいくつもありました。例えば、みんなの脱いであった上靴の数足を、K男はロケット内に自分で並べていました。並べることが楽しかったのか、かなり夢中になっていました。それを見た見張り役の多いT男は、「そんな所に靴ばっかりだめ」と注意。K男は「だって靴屋さんなんだもん」といいました。T男は、「靴屋さんはあっちでやってよー」とロケットの外を指して注意しました。少し月齢も低く、やけになったK男は、靴をロケットの外に投げ捨てました。ふだんから気分転換の早いK男は、それっきり靴のことを忘れ、ロケット内でネコ役になって他の幼児とかかわり、遊び始めました。

また、他のトラブルでは、カラー積み木の取りっこで、「だめ、これは持って行かないで」とA男。「だって僕の座る所がないんだもん」とM男。どちらも譲らず、ひどいときには、たたき合いになってしまいました。保育者が加わり、他の積み木のある所を伝えたり、保育者が持ってきてあげることで、どうにかトラブルが解消しました。このような取り合いは、たくさんありました。ある子どもがカラー積み木を冷蔵庫に見たてたものを、他の子が椅子に見たてるなど、自分のイメージした場所に他の子が介入したりすると、よくぶつかり合いになりました。

三十分くらいこの遊びが続きました。三十分が経過したころ、とうとうパニックがやってきました。ロケット内でS男とY男がけんかを始めたのです。S男はマイペースで、自分の思いが先行すると、まだまだそれしか見えなくなるタイプです。一方Y男は、月齢も低く、自分の思いをうまく相手に伝えられないため、イメージの食い違いから生じたけんかのようでした。S男は、Y男に押されたはずみで、カラー積み木で積み上げられたロケットの半分以上を崩してしまいました。自分のイメージをふくらましながら夢中に作っていたA男と見張り役的なT男が、泣いて怒りました。「壊すなー」「あーあー、もうS男君は！」などと責めたてました。また、M男は、「だめだぞう」と、むきになってたたいたりしました。

S男は、乳児期から二歳半ころまで、家庭の事情で、乳児院で生活をしていました。なかなか集団の中で自分を出せず、要求の出し方に幼い面も多く、そのために遊びの中で物を壊してしまったり、子どもたちの遊びのじゃまになってしまうことがときどきありました。じゃまされた経験のある子どもたちが多かったために、頭からS男が悪いことになってしまったようです。保育者が、S男がわざとやったのではないことを伝え、他の幼児たちに「もっと大きいロケットを作ろうよ」などと励ましながら、子どもたちとともに作り直しました。S男には、「わざとやったんじゃないよね」「S男君もびっくりしたよね」などと、話しかけましたが、S男はいじけてブロックの前に座り込んでしまいました。

S男は、少し落ち着くと他の幼児を受け入れるところがあるので、しばらくそのまま見守り、落ち着いたころをみはからって、保育者がネコ役になって、S男に近づいてみました。

「ネコのおばさんは、ネコのお家に行きたいんだけど、一人じゃあとっても淋しいから、S男ネコ君もいっしょに行ってちょうだい」と誘いました。するとS男は、「エー」と一度はてれて、「いいよ」と半

分ふくれた顔をしながらも、遊びに入れてうれしそうに答えました。

崩されたことをきっかけに、作り直し始めたロケットは、型が先刻のものとは変化しましたが、やはり家とロケットがミックスしたような物ができ上がりました。さっきのハプニングで、この遊びに飽きかけていたM男、Y子と、S男のけんかの相手であったY男が、抜けてしまいました。しかし、残った八名の子どもたちは、気分も新たに、遊び続けていました。

保育者が、ネコのお客さんになって、「ごめんください」といって中に入り、いっしょに遊びました。「ワー、すごいわね」「みんなで作ったの？」「ここは何かしら？」など、興味深げに見ると、「ここは椅子だよ」「ネコさんのおトイレはここなの？」とそれぞれの自慢作を見せたり、「運転してもいいよ」と、ロケットの操縦席に案内してくれたりしました。「先生ネコはおでぶさんだから座れないなあー」というと、もう一つのカラー積み木をつなげて、椅子を広くしてくれました。また、食べ物を出してくれ、「おいしい」と保育者が食べるまねをすると、つぎつぎにいろいろ持ってきて、「ハンバーグです」「アイスクリームだよ」と手渡してくれました。

このロケット遊びからネコちゃん遊びを通して、同じ遊具でいっしょに遊んでいるかのように見える三歳児ですが、それぞれのイメージを描いて遊んでいることを感じました。ある子どもは椅子に見たてているつもりでも、他の子どもには冷蔵庫に見たてるというように、イメージを壊さないように、保育者が一人ひとりのイメージを大切にして、それをふくらませたり、相手の気持ちを他の子に伝えたりすることが必要であると思いました。

このロケット遊びが展開していく中で、三十分以上も遊べました。個々の発想を大切にするために、保育者が少し見守りすぎて、遊びが発展する機会をのがしたのではなかったかと反省しました。お店屋さんごっこが始まったときに、物を少し増やしてあげたり、他のお店を作ったりすれば、ネコ役の子のイメージも遊びも広がりを見せると同時に、狭いロケット内でのトラブルも少なく、個々のイメージをより大切にできたのではないかと思いました。

（東京都・世田谷区立若竹保育園　高橋久美子）

㈤ ぼく、ライブマン

実践事例㉝

ぼく、ライブマン

九月

細長い切り落としの色のついた紙を、自由に取り出せるように、保育室のかごに入れておきました。登園してきたA男が見つけて、一枚手に取り、自分の腰に巻きつけました。そして、「先生、こことめて」と紙の端を示しました。保育者がセロテープで端をとめて「A男君、かっこいいね、これなあに？」と言葉をかけると、「ライブマンのベルト。いいでしょう」と答えました。

A男のしている物を見た幼児が、「いいなあ、ぼくもやりたい」といってきました。同じようにセロテープでとめると、にこにこ笑って室内を走り回り、ポーズをとっていました。それからA男は、自分のクレヨンを箱の中から探して持ってきて、身に付けたままのベルトの中央にクレヨンで丸をかいて塗りつぶしました。

A男は、細長い紙を見たときに、大好きなライブマンのベルトを連想して紙を腰に当てたのだと考えられます。そして、自分のイメージと重なったので作りたくなり、保育者に援助を求めてきたのです。A男のしていることに魅力を感じて、他の幼児も作りたくなったのだと思われます。ベルトを身に付けるだけで、気持ちはすっかりヒーローのライブマンになっています。

実践事例㉞

アンパンマン、かけるよ

十月

入園当初から、自由に紙を取り出せるように、かごの中に大小さまざまで厚さも二、三種類の紙を用意しておきました。クレヨンは、一人ひとりの印のシールを付けて箱の中に入れておき、はさみは、仕切りの付いた箱の中に取り出しやすいように持ち手の方を上にして立てておきました。

B男が少し厚手の八つ切り大の紙と自分のクレヨンを持ってきて、机の上で絵をかきだしました。紙いっぱいに丸をかき、中に黒丸二つ、その下に小さい丸一つというようにかいていきました。かきあげると、はさみを持ってきて切り取り始めました。切り取ると、「アンパンマンできたよ」と保育者のいる所に持ってきて見せ、「先生、お面にして」といい、絵を差し出しました。保育者が、お面の帯にB男がかいた絵をホチキスで付けて渡すと、「アンパンマン」といい、喜んで頭にかぶりました。B男がかぶっているお面を見た他の幼児が「僕も」「わたしも」とまねて絵をかいて持ってきました。絵がかけない幼児は、かける幼児にかいてもらったり、保育者に手伝ってもらったりしてお面にしました。何枚もかいて作ったお面を、自分のロッカーの上に並べておく幼児もいました。毎日、登園してくると、気に入ったお面をかぶり、アンパンマンになって、保育室や廊下を両手を横に広げて走り回っていました。

自分がこれをしたいと思いついたときに、すぐ必要な物が手に入ったことで、B男はアンパンマンの絵をかくことができ、満足感を行動で表しています。それに刺激されて、他の幼児も作り始めました。自分で作った満足感と友達と同じ物を身に付けて動くうれしさから、毎日この遊びが続いたと思われます。

実践事例㉟

アンパンマンのマントがほしいよ

十月

アンパンマンのお面を作ったC男が、「マントを作りたいから、紙ちょうだい」といって、大きい紙をもらいにきました。「紙で作るの？　ふろしきじゃあだめなの？」「うん」というので、大きい紙を渡しました。それを肩にのせてセロテープでとめ、アンパンマンになって遊び始めました。少し動くとセロテープがはずれてしまい、何度もはりつけ直していました。「リボンを付けて縛るととれないよ」といってリボンを付けてやりました。翌日、動き回って破けてしまいました。「紙じゃだめだ」とつぶやき、ロッカーの上に置いたままにしていました。「このマントにしてみる？」とふろしきを示すとうなずいたので、肩にふろしきをかけて縛ってやりました。

アンパンマンになって遊びたがる幼児が増え、マントのふろしきがなくなってしまいました。D男が「僕だって、あれほしい」と、友達のマントを指していいました。「マントの入っている箱の中探した？」「うん」「もう一度探してみようか」といって、いっしょにマントの入っている箱の中を探してみましたがありません。「困ったね」と保育者がいってD男の顔を見ると、顔をしかめて泣き出しそうな表情をしていました。そこで保育者が、「そうだ、マントを借りに行こうよ。ほかのお部屋に」といって、D男の手を引いて隣の部屋へ「アンパンマンのマントありますか？」「ありません」その隣の部屋へ「アンパンマンのマントありますか？」「ありますよ。そのかごの中から持っていっていいですよ」といわれ、年長組の部屋に入り、かごの中を保育者が探しました。D男は、部屋の入り口で待っていました。見つけた二枚を持ってきて見せ、「こっちがいい？」「それともこっち？」と聞いても黙っているので、「こっちのほうがいいかもしれないよ」と一枚を肩にかけると、「こっちがいい」といって、保育者の手にしているほうを指でさしました。それを肩にかけて縛ってやると、にこにこ顔になり、両手を広げて廊下を走って自分の部屋に行きました。

マントが欲しいという気持ちは共通でしたが、C男は自分で作ってみたい、D男は友達と同じ物を身に付けたい、という欲求が現れていました。C男は、自分の思いついた方法でマントを作ることが大切な経験なのだろうと考えました。D男には、せっかく興味を持って自分で遊ぼうとしているのだから、なんとかしてマントを探してあげなければと思いました。C男もD男も、アンパンマンになるためには、マントは欠かせない物であることを認識しているので、こんなにもこだわってマントを欲しがったのだと考えられます。

実践事例㊱

ここがアンパンマンのうちです

十月

保育室の入り口を入って右側、黒板に沿って積んである小型積み木を、E男とF男が運んできては横に並べ、黒板を背にして囲いを作りました。そして、アンパンマンのお面とふろしきのマントを身に付けて囲いの中に入っていました。保育者が「アンパンマンのうちですか？」と聞くと、「そうです」と答えてきました。それをそばで聞いていた女児三名がやってきて「入れて」といいました。すると「アンパンマンだったらだれでも入れます」という答えが返ってきたので、喜んで中に入って遊びだしました。

小型積み木を見つけて並べ、囲いになったことでアンパンマンのうちという気持ちが起こったと考えられます。アンパンマンのうちと保育者が認めた言葉をかけたことが、そばにいた女児三名の興味を引き、仲間に入りたくなったと思われます。アンパンマンという共通したものが、友達と自然にかたまって遊び、同じ場での触れ合いを楽しいものにしているのです。

実践事例㊲

アンパンマンのサンタクロースになりたいな

十二月

サンタクロースにプレゼントを入れてもらいたくて、クリスマスツリーの模様の袋を一人ひとりが作りました。その袋は壁面に飾っておきました。アンパンマンになって毎日遊んでいた男児二名が、「アンパンマンにサンタの帽子を付けて」といってきました。そこで、お面に赤いとんがり帽子をつけてやりました。遊びのようすと時節柄を考えて、アンパンマンのサンタクロースの絵本を読んでやりました。

その翌日でした。女児四、五名と保育者が、みんなで作った大きなキノコをクリスマスケーキにしようと飾りつけていました。そこにアンパンマンのサンタクロースのお面をかぶり、マントを付けた男児二名がやってきました。そして、「先生、あれとって」と、壁面に飾ってあるプレゼントを入れる袋を指さしました。二人の分を取って渡すと、手に持って絵本棚の方に行きました。袋の中に気に入った絵本を入れて持ち、ケーキを囲んでクリスマスパーティをしている保育者と女児のいる所にやってきました。「みんな寝ててね」「もう夜ですよ」といい、そーっと入ってきてプレゼントを袋から出してみんなの前に置き「もういいですよ」といいました。寝ていた保育者と女児は目を開け、「わあ、プレゼントだ。アンパンマンのサンタクロースさん、ありがとう」というと、にこにこ笑って帰って行きました。

この男児二名は、アンパンマンのサンタクロースの絵本を読んでもらったことがきっかけとなってアンパンマンのサンタクロースをして遊びたくなったのでしょう。そこにちょうど、クリスマスパーティをして遊んでいる保育者と女児がいたので、自分たちの思いを十分に出すことができたと思われます。

実践事例㊳

先生、ジャムおじさんになって

一月

「先生、ジャムおじさん作ってあげる」といい、ジャムおじさんの顔とコック帽子をかいてセロテープではりつけて持ってきました。お面にして保育者がかぶると、にこにこして喜んでいました。翌日、教師がお面をかぶっていないとやってきて「先生、ジャムおじさんになってよ」といいました。保育者がお面をかぶると笑って、自分もアンパンマンになって保育室の中や廊下を行ったり来たりしていました。しばらくすると、保育者のいる所に来て「困っている人がいたから、パンをあげたらなくなっちゃった。新しく作って」といって頭を出しました。保育者がお面に手を当てなでて「はい、なおりました」というと、「ジャムおじさんありがとう」といって、またアンパンマンになって飛び立っていきました。

何度も繰り返して遊ぶうちに、保育者の所に来ていう言葉が「ジャムおじさん、パワーがなくなりました」になり、保育者もお面をなでるのではなくお面に手を当て「パワー！」と言葉で返すようにしました。

保育者といっしょに遊びたい気持ちが行動に現れてきています。自分のもっているイメージに合ったかかわり方を保育者がしてくれたのがうれしくて、遊びになっていったと思われます。アンパンマンのイメージがはっきりとしてきています。

実践事例㊴

困っている人はいませんか

一月

屋上で保育者と女児四名が「今日は寒いね」といいながら鬼ごっこをして遊んでいるところに、アンパンマンのお面とマントを身に付けた男児がやってきて「困っている人はいませんか」といいながら走り回っていました。「アンパンマン、寒いんですけど、暖かい所はありませんか？」と声をかけると、「あっ、ちょっと待っててください」といって周りを見て、「あのおうちの中があったかいですよ」といって連れて行ってくれました。そのうちの中に入って女児たちと「あったかいね」「よかったね」といい合い喜んでいると、アンパンマンはうちの中をのぞきこんで、にこにことうれしそうな表情をしていました。みんなで「アンパンマン、どうもありがとう」というと、笑っていました。

すっかりアンパンマンのイメージが定着して、そのイメージに合った動きをするようになってきています。それを受けて保育者が言葉かけをすると、アンパンマンらしい言動を起こし、教師や友達とのかかわりが生まれてきます。

実践事例㊵

アンパンマンが助けてあげます

二月

屋上で、オオカミと七匹の子ヤギの鬼ごっこをして遊んでいるところに、アンパンマンになった男児三名がやってきました。そして、鬼ごっこをしている近くにあるジャングルジムの上に登って周りを見ていました。オオカミの保育者が子ヤギを捕まえてオオカミの家に連れて行き鍵をかけるまねをすると、子ヤギになっている幼児が「助けて」と叫んでいました。保育者が他の子ヤギを追いかけていると、アンパンマンの一人がジャングルジムから降りてきて、捕まっている子ヤギの所に行き、鍵を開けるまねをして逃がしてしまいました。「あっ、アンパンマンが助けてしまった」と保育者が悔しそうにいうと、アンパンマンの子は笑いながらジャングルジムに走っていきました。子ヤギに逃げられてしまったので、また言葉のやりとりから遊びが始まりました。保育者が子ヤギを捕まえてオオカミの家に連れていき鍵を閉めてしまうと、子ヤギの幼児が「アンパンマン、助けて」と叫びました。すると、三人のアンパンマンがジャングルジムから降りてきて、子ヤギを助けていきました。この遊びは、オオカミと七匹の子ヤギの鬼ごっこをしていると必ず始まり、何日も続きました。

オオカミと七匹の子ヤギの鬼ごっこをジャングルジムの上から見ていたら、オオカミに捕まった子ヤギが助けを呼んでいます。これは助けてあげなければいけない、僕はアンパンマンなんだから、という気持ちから起こった行動ではないかと思われます。保育者がその行動を受け入れ、肯定したことから、次の子ヤギとアンパンマンの関連ある行動が起こったと考えられます。そして、友達とかかわり、触れ合いながら遊ぶ楽しさを味わっています。

以上のような記録から、ライブマン、アンパンマンなどのキャラクター遊びは、言葉だけですぐにイメージを共有しやすい面があります。また、同じ物を身に付けて同じ動きをすることで、仲間であることを認められ、友達とのかかわりや触れ合いも同じ場や同じ遊びを通して起こってきます。キャラクターになって遊んでいることにより、それ以外の遊びにも抵抗なく入っていくことができたり、自分の思いを言葉や動きで素直に表せるようになったりしている幼児もいます。

（東京都・千代田区立富士見幼稚園　深澤美智子）

事例コメント

ぼく、ライブマン

保育者の援助を考える

この実践事例㉝を読んでまず思ったのは、なんとよくできた保育者だろう、そのうえコメントまでちゃんとつけてあり、私が何も付け加える必要はないのではないか、ということだったのです。でも、なぜ、それがよいのかを書くのも私の仕事だと思いますので、そのことを整理してみましょう。

感心した理由は、私が日ごろ保育者の援助はどうあったらいいのかと考えていることを、ことごとく実践しているからです。つまり、大きく分けると、

① 適切な環境を用意すること

② 個々の子どもと、その場に応じた対応をすること

の二つだと思うのですが、その基にあるのは

●その年齢の子どもの発達特徴をよく把握していること

●保育の目標をつねに自覚していること

●そのうえで個々の子どもの気持ちをくんでいること

があげられます。では、これらの視点から事例㉝をみていくことにしましょう。

「ぼく、ライブマン」

「細長い切り落としの色のついた紙を、自由に取り出せるように、保育室のかごに入れておきました」とあります。この「かごに入れて自由に取り出せるもの」は他の所にも何度か出てきます。つまり、こうした素材はいつでも自由に使えるような環境設定がしてあるということです。自由に使うというのは、子どもが「こういう物がほしいけど、何か適当なものはないかな」と目的に合う物を探している場合と、そこにある物を見たときに「これで何が作れるかな」「あ、これ○○にちょうどいい」と思いついて取り出す場合とがあるでしょう。

ここでは、A男が一枚取り出して自分の腰に巻きつけています。ライブマンになりたくてベルトを探していたのか、細長い紙を見てそれを思いついたのかはわかりませんが、その紙がA男の頭の中のイメージとパッと結びついたのだと思います。

「先生、こことめて」と紙を腰に巻きつけ、端を持って頼みにきました。三歳児には、まだ身につけたままの紙をとめることができません。セロテープを切るには両手がいりますし、両手を離すとベルトが落ちてしまいます。この場合、安心してすぐ用を頼める保育者の存在は大きいと思うのです。もし、そばに保育者がいなければ、あるいは忙しそうにしていて頼みにくいようすが見られたら、A男のせっかくの思いつきもそこでしぼんだかもしれません。

「A男君、かっこいいね。これなあに？」この言葉かけもとてもいいですね。得意気なA男のようすを「かっこいいね」とほめてからの「これなあに？」は単なる質問ではなく、「こんなにかっこいい人の身に付けているものは一体なんだろう」という賛辞なのです。だから、A男はうれしくなり、「ライブマンのベルト。いいでしょう」と答えます。そして、難しい仕事であるにもかかわらず（よりライブマンらしく見せるために）身に付けたままのベルトの中央にクレヨンで丸を描き、ぬりつぶすというエネルギーが生まれたのでしょう。

物の用意も子どもの活動意欲を生み出しますが、いつでも子どもに対応できる援助者としての保育者の姿勢も、何物にも勝る環境だといえます。

「アンパンマン」になって遊ぶ

このアンパンマンの遊びは、なんと十月から翌年の二月まで半年近く続いています。この絵本が子どもたちに人気を博していることは知っていましたが、これほど浸透しているとは思いませんでした。アンパンが子どもに親しみ深い食物であり、その名をとったヒーローに、他のスーパースターよりも親しみを持つからでしょうか。ストーリーが単純明快で、主人公の持つ性格も三歳児の共感を得ることができます。

この保育者が、それを大切に育てられたのは、子どもの中から生まれた遊びとはいえ、そのことを理解していたからでしょう。もし、この遊びが年長組であったら、だれかがおもしろがってアンパンマンのお面やベルトを作って遊んでも、それが長期間続くことも、クラスの仲間に広がっていくこともなかっただろうと思います。この題材が三歳児にぴったりであったこと、そして、その指導も、つぎつぎと次の場面へと引っ張るのでなく、子どもが要求してきたときにだけ適切な援助をするという控え目なかかわりがよかったと思うのです。

アンパンマン遊びのきっかけをみてみましょう。ある日、B男が「少し厚手の八つ切り大の画用紙」を取り出してアンパンマンの顔を描くのです。おそらく、家で兄姉や近所の子どもが描いたのを見て

B男もまねをし、描けるようになったのでしょう。翌日（今日はアンパンマンを描こう）と意気ごんで登園したのかもしれません。

「かごの中に大小さまざまで厚さも二、三種類の紙」が用意されていたので（お面にしようと）厚手の、大きさもちょうどよい八つ切り大の紙を選んだのです。ほんとうに、子どもの活動意欲を起こさせるのはこういう配慮なのですね。感心ついでに触れますと、「クレヨンは、一人ひとりの印のシールを付けて」とあります。自分のもの、という観念と、箱の中にみんなそろっているかを確かめる気持ちが育つでしょう。はさみも「仕切りの付いた箱の中に取り出しやすいように持ち手の方を上にして立てて」あります。すると、子どもはそのように片づけるようになります。危ないからといわなくても、とがった方を下に向ける習慣ができるのです。これも環境による教育の一つであり、三歳児には使いやすいので親切な配慮でもあります。

さて、案の定、B男は顔を切りぬくと、「先生、お面にして」と持ってきます。そのときにはもう保育者の手もとにはお面用の帯やホチキスなどが用意されている。みごとですね。子どもの動きを読んでいたのでしょう。B君の作品に魅せられて、他の子どもたちもお面作りがしたくなります。三歳児の行動には、他の幼児のしていることを見てまねるというのが多いのですが、まねようとしてうまくできない子どもには手伝ってあげています。この場合、自分で描けるようにというより、みんなの仲間に入りたい気持ちを優先してのことでしょう。

それについて「自分がこれをしたいと思いついたときに、すぐ必要な物が手に入ったことで、B男はアンパンマンの絵をかくことができ、満足感を行動で表しています」「友達と同じ物を身に付けて動くうれしさから、毎日この遊びが続いたと思われます」と書いていますが、まったく同感です。

マントをめぐるエピソードも興味ある事がらを教えてくれます。C男がマントを作るといって大きな紙をもらいにきたときに、一応、「紙で作るの？　ふろしきじゃだめなの？」と相手の案も尊重しながら改善案を示しますが、C君はききません。そこで、破れるのを承知で紙をセロテープでとめてやります。しかも、何度も破れるたびにめんどうがらずにとめ直しています。そのうえで、あくまで（C男が選んだ）紙を使う工夫をしてリボンまでつけています。どうせすぐ破れるのだからといいかげんにしたり、「やっぱり紙はだめだったでしょ」などと皮肉をいわないところがいいですね。

そのあと、「紙じゃだめだ」とあきらめてロッカーの上に置いたままにしてあるのを見た保育者は、そこで、再び最初の提案を出してみます。今度はC男も素直にそれを受け入れてふろしきを縛ってもらうのです。ここで、適切な援助とは時期を見ることの大切さだと思います。最初から保育者が、ふろしきのほうがいいわよと強引に進めてしまっても、それなりに遊んだでしょうが、C男が紙で作りたいと思い、なんとかして紙を生かそうと苦心し、それを親身になって手伝ってくれた保育者とのかかわりのすべてが、C男の収穫だったと思うのです。紙の持つ性質と布の違いを実感したでしょうし、破れても破れても修理して使おうとする根気強さや、保育者の優しさに触れたことなど、すばらしい学習だったことでしょう。

さて、アンパンマンのマントが流行してくると、ふろしきのマントが足りなくなります。保育者は子どもに付き添って他の組へ借りに出かけます。このあたりも世の中のしくみを教えていてみごとです。また、こういう交流が自然にできるのは、日ごろから保育者どうしの話し合いが十分に行われているからでしょう。それにしても、どの部屋にもふろしきが用意されているのはおもしろいですね。スカーフ、ふろしき、ひも類、大人のスカートなど、子どもはそれらのものを利用してイメージを広げ、遊びを発展させていくものです。これも、子どもの活動意欲をそそる環境の一つといえるでしょう。

子どもの遊びを見る視点

アンパンマンになってポーズをとり走りまわっていた子どもたちも、形だけでなくその性格を取り入れるようになり、いろいろな遊びの場面に応じて自分の役割を表現するようになります。これは、あらかじめ筋書きがあるわけではないので、まったくの創作です。ストーリーを考えながら、この場は、アンパンマンというキャラクターならどう振舞うかと判断を迫られるわけです。

こういう遊びを見る保育者の視点は、そこで子どもが何を経験しているか、その経験がその子どもに対する保育のねらいの中にどのように位置づいているかを見通すことといえるでしょう。

子どもたちは、そのときどきの遊びの中にアンパンマンを登場させて、遊びをふくらませていきます。その場合、保育者はたいへんじょうずに言葉をかけて、その子のイメージを確認しながら、それを言葉にすることによって他の幼児への情報伝達の役を果たしているのです。例えば、積み木で囲っていると「アンパンマンのうちですか？」と聞き、その子たちが作ったものを認めると同時に、周りの子どもたちにも知らせています。そばで聞いていた女児三名が、それなら、と仲間入りする気持ちになったのです。

また、十二月に、アンパンマンのお面にサンタの帽子をつけてやった後で「遊びのようすと時節柄を考えて、アンパンマンのサンタクロースの絵本を読んで」やったのです。これはサンタになったアンパンマンにそれとなく方向づけをしています。それで次のクリスマスの夜の遊びが生まれたのでしょう。保育者の効果的なしかけが生かされました。

おわりに

事例全体を読んで感心したのは、この保育者が子どもと文化財を共有しようとしている姿勢です。大人にはあまり歓迎されないようなものでも、その時期の子どもが共有している世界を認め、その内容に通じ、すぐに応じています。ジャムおじさんの役割を求められたときに、その内容を知らなければ、子どもを満足させられなかったでしょう。困った人を助ける遊びを三歳児は大好きです。彼らの素朴な正義感の満足と遊びのおもしろさが結びついています。そして、このことが大切だと思うのですが、この園ではアンパンマンだけでなく、他の文化財ももちろん提供していることをつけ加えておきたいと思います。

(愛媛県・松山東雲短期大学　吉村真理子)

㈥　テレビから受ける刺激

実践事例㊶

テレビから受ける刺激

⑴　子どもたちがテレビから受ける刺激にはかなり大きなものがあるように思います。子どもたちが以前から紙芝居でよく知っていたアンパンマンも、テレビで放送が始まると同時に「アンパンマンごっこ」として、急な盛りあがりをみせてきました。また、ライブマンなどのように怪獣をやっつけるという、子どもたちにとってはあこがれのヒーローキャラクターも、例えば放送が終了し、ターボレンジャーに変わると、子どもたちの遊びも同時に変化してきました。こうしてテレビからの刺激によって、子どもたちの遊びはどんどん広がりをみせ、自分なりに想像力を働かせ、自分がその役になりきって夢中で遊んだり、友達との新しい関係を作るきっかけとなったりしていきます。そして、そのようなごっこ遊びを通していろいろなことを経験することで、子どもたちも成長していくように思うのです。

⑵　さて、このクラスのキャラクター遊びは、自分の好きなキャラクターのお面を保育者に「作って」とねだり、できあがったお面をつけてふろしきのマントをひるがえし、走り回ることから始まりました。それは二歳児クラスの後半に入ったころで、そのときはまだ単にテレビに出てくるキャラクターの模倣をしていたにすぎず、友達とのかかわりもあまり見られませんでした。しかし、そこに保育者が怪獣や悪者役として入り、遊びにかかわっていくことを繰り返していくうちに、しだいにそれぞれがその役になりきったり、ストーリーにそった動きを自分なり

に考えてするようになっていきました。そして、それと同時に、友達とのやりとりも多く見られるようになってきたのです。

二歳児クラスも終わりころになると、子どもたちがなる役はよりいっそうはっきりしてきて、「自分の役」が決まってきました。そして、それは自分だけがわかっているものから他の子どもたちも「〇〇ちゃんは△△が好き」とよくわかるようになって、「自他ともに認める役」というものができ、やがてそれも定着してきました。

(3) Y子はイヌのチーズがとても好きだったので、いつもチーズになって遊んでいました。

「僕、イヌのチーズだわん。おばけの森はこわいわん」

などといいながら、四つんばいになって歩きます。そしてときおり、保育者の足にしがみつき、

「わん、わん！　ガリ、ガリ……」

といって、両手で足をひっかくまねをするのです。そのうえ、名前を呼んでも知らんぷりしているのに、

「チーズ！」

と呼ぶと、くるりと振り返って、

「わん。なんだわん」

と答えます。そのうちにクラスの子どもたちは、彼女をチーズと呼ぶようになりました。

このころのごっこ遊びは、以前よりも役柄がはっきりしてきたとはいうものの、保育者が入らずに自分たちでストーリーを発展させていくことはまだできません。それぞれのキャラクターどうしのやりとりもあまりなく、一人ひとりが「キャラクターになったつもり」を楽しんでいるだけでした。しかし、そこに保育者が悪者役になって遊びに入ることで、子どもたちの動きは大きく変わってきました。

足にからみついてくるイヌのチーズに向かって、アンコラ怪獣になった保育者がいいました。

「ん？ いいにおいがするぞ。これはチーズのにおいだな。おいしそうだなあ。アンコラ、おなかがすいたから食べちゃうぞ。」

すると、Y子は、

「キャー！　助けてー。こわいわん」

といって逃げ出します。それをまた保育者が追いかけていってつかまえようとします。すると、それを見ていたアンパンマンのお面をつけたA子がふろし

きのマントをひるがえしてやってきて、チーズをかばいながらこういうのです。

「チーズ、アンパンが来たからもう大丈夫よ。アンコラ怪獣なんか、アンパンマンがやっつけてあげる」

しかしながら、アンコラ怪獣はしつこくいいます。

「おまえなんか、こわくないぞ。アンコラはおなかがすいているんだ」

A子はちょっと考えてから、今度はこういいました。

「じゃあ、わたしの顔を食べなさい。甘くておいしいわよ」

そうして自分のほっぺをつまんでアンコラ怪獣に食べさせてあげるのです。そのうちに、

「あっしはおむすびマンでござんす」

「僕は宇宙人のぴいちゃんだ。ぴいぴい」

「僕はカレーパンマンだ！」

といろいろなキャラクターが集まってきます。そして、やがてはライブマンやターボレンジャーなども加わってきます。お面をかぶり、ふろしきのマントを付け、自分で作ったブロックの剣やピストルを持って、追いかけたり追いかけられたりしながら、遊

びは盛りあがっていきました。

　このように、子どもたちがよく知っているいくつかの紙芝居のストーリーを基盤にして保育者が子どもたちの姿に応じて怪獣という役柄を演じていきます。ストーリーをそのまま追っているわけではないのですが、保育者が投げかけたことに対して、子どもなりに考えてそのキャラクターらしく対応していくのがよくわかります。つまり、子どもたちの発想とそれに対する保育者の投げかけによって、いくつかの紙芝居の話を総合した形で、新たな遊びの流れを作り出していくことができるようになってきたのです。

(4)　三歳児クラスになると、子どもたちの発想や言葉の表現もより豊かになってきます。ごっこ遊び好きの子どもたちは、毎日のように「今日はアンコラ怪獣になって」「魔法使いのおばあさんになって」と保育者に要求してきます。以前は、アンコラに食べられそうになった子どもを正義の味方が助ける、というパターンが多かったのですが、今度はどうやったらアンコラをやっつけられるか、子どもなりに考えるようになってきました。例えば「アンコラは甘い物は大好きだけれど辛い物は苦手だ」という設定になっていたので、それを利用しようと思いついたのです。例によって保育者がアンコラになって「食べちゃうぞー」と子どもたちを追いかけていると、K男が何くわぬ顔でやってきて、こういうのです。
「おいアンコラ。おなかすいているんだったら僕を食べていいよ」

そこでアンコラは喜んでほっぺを食べるまねをします。すると、すかさずニコッと笑って、

「僕、ほんとはカレーパンマンなんだよ」

それを聞いて保育者が
「ギャー！　辛いよー。助けてー！　アンコラ、辛い物は嫌いなんだよー」

といって逃げ出すと、K男は
「ヤッター！　アンコラをやっつけたぞ」

と、飛び上がって喜ぶのでした。また、ターボレンジャーのM男は、自分で作ったブロックの剣を持ってアンコラの前に立ちはだかると、

「アンパンマン、魔女の国へ」という紙芝居に出てくる魔法使いのおばあさんの話から考え出したのか、自分も魔法を使えるという設定にして、こういうの

です。

「おまえなんか……おまえなんか、ムシダンゴにしてやる！」

ムシダンゴというのはダンゴムシのことでした。彼はたぶん、最近虫さがしで見つけて初めて知った小さなへんてこな虫のことを思い出したのでしょう。彼にとってはやっとのことで思いついた名案だったのだと思います。また、M子は何のキャラクターにもなっていなかったのですが、あえていうならは〝M子役〟になって遊びに加わってきます。怒ったような顔でコップに砂を入れて持ってくると、

「アンコラ、これを食べるのよ」

とコップを差し出します。

「おいしいの？」

「うん」

そうしてアンコラがひと口食べるまねをすると、彼女はいかにも「ヤッター！」といった表情で、

「これを食べると死んじゃうんだよ」

というのです。それを聞いて急に苦しみ出してアンコラが死んだまねをすると、今度は別のコップを差し出して、

「これを飲めば大丈夫よ。さあ、早く飲みなさい。もう悪いことはしないのよ」

というのでした。

このように子どもたちの発想には、大人には思いもつかぬ新鮮さがありました。二歳児のときには保育者からの投げかけが多かったのですが、このころには子どもたちからの投げかけのほうが多くなり、保育者がそれに答えていくようになってきました。

遊びに発展が見られないときには、保育者がそのきっかけを作っていくことも必要ですが、まず、子どもたちの発想を引き出して遊びに持ちこむことを大切にするようにしてきました。

(5) 六月に入って天気のよい日が多かったので、散歩に出る機会が多く持てました。保育園から歩いて十五分くらいのところにファミリーパークと呼ばれる砧公園があります。ここはとても広く、いくつもの小さな林や森や広場でできています。子どもたちはファミリーパークに出かけると、花を摘んだり虫を見つけたりして探索を楽しみます。また、少しうす暗い森に入ると、

「ここはおばけの森よ。こわいおばけが出てくる

かもしれないわよ」

といった声も聞かれました。また、ぬかるみに足をとられると、

「大変だあ。おばけがつかまえようとしているよ―」

という子どももいました。そこで、今度はいつものごっこ遊びをそのままファミリーパークへ持っていってできないだろうかと思いつき、さっそく実行してみることにしました。

ファミリーパークでは思いきり走れるスペースと隠れ場所が豊富にあり、ピストルや剣になる木枝もたくさん拾うことができます。そして、なによりも自然の中で自然のものに直接触れることができるので、ごっこ遊びの場所としてはこんなによいところはありません。

最初は「ファミリーパークに探検に行こう」と子どもたちを誘いました。子どもたちは散歩が大好きだったので喜んでついて来ました。この日は「ごっこ遊びをしよう」という保育者のたくらみがあったので、率先して遊びを引っ張っていくことにしました。例えば

「あっ、かっこいいピストル見つけたあ」

といっては木の枝を拾ったり、

「この森は暗くてこわいから、だれか見てきてよ。おばけに食べられないように気をつけてね」

といったりして、保育者が子どもの位置に立って投げかけをしてみたのです。子どもたちは一応その投げかけには答えるのですが、その日はそこからの遊びの発展はあまり見られませんでした。もちろん、子どもたちのほうは広い公園の中を走り回ったりしておもしろそうに遊んではいました。しかし、遊びが発展していくときの保育者と子どもたちとのキャッチボールのような心のやりとりがうまくいかず、いつものように子どもたちとごっこの世界を共有することはできませんでした。


遊びを発展させていくとき、保育者は子どもたちの発想をすぐに受け取り、それをじょうずに投げ返していってあげなければなりません。五歳児くらいになれば、ある程度自分たちの力だけで発展させていくことができるのですが、三歳児ではまだ保育者の手助けが必要です。だからといって手助けをしすぎると、子どもたちが自分でやってみようとする大切な芽を摘みとってしまうことになります。ですから、保育者と子どもたちとのキャッチボールはとても大切だと思うのです。

(6) 次にファミリーパークへ出かけたときは、ターボレンジャーのお面をかぶり、〝待ちに待った探検ごっこ〟となりました。それは、ちょうどそのころにターボレンジャーのお面作りが流行していたので、
「今度、お天気のよい日に、このお面をかぶってファミリーパークに探検に行ってみようか」といってみたのです。子どもたちはその日から、次に散歩に行ける日をとても楽しみにするようになりました。


数日後、よく晴れた朝のこと。子どもたちから、

「お散歩に行こうよ」

という声が上がりました。

「ほら、この前さあ、約束したじゃない。ターボレンジャーのお面かぶってさあ、ファミリーパークに行こうっていったじゃない」

子どもたちは自分から、それぞれのお面をかぶって用意を始め、はりきって出かけて行きました。


公園の入り口は林になっていて、子どもたちはさっそく武器さがし。木の枝を拾ってはピストルや剣

に見たてるのです。子どもたちはそれを持って、林の中を用心深く歩いていきます。途中で木漏れ日に気づいたK男が、

「あっ、なんだか変だぞ。ここだけが明るい」

と声を上げると、他の子どもたちも集まってきて、みんなでのぞきこみます。ピストルや剣をかまえたり、光っているところをたたいてみたりする子どももいました。

「なんだろう」

「こわいよー」

「ターボレンジャーがいるから大丈夫だよ」

という会話が聞かれます。すると、そのうちの一人が、

「あっ、これ、おひさまだよ。だって、見てごらん、木の上の方が光っているもん」

みんなも上の方を見上げて、

「そうかあ……」

とうなずきます。

しばらく行くと、木の枝が足にからまり、

「わーっ！」

と叫ぶ子どもがいました。すると、ターボレンジャ

ーの一人が走って行って、

「どうしたんだ、大丈夫か?」

と声をかけます。ほんとうはすぐに抜け出せるのですが、わざともがくように手を伸して、

「だめだ。助けてくれー」

今度は他のターボレンジャーもやってきて、手を引っ張ってやります。

「ありがとう。助かったあ」

と、木の枝から助け出された子どもはいかにもホッとしたようにいいました。

林をぬけて、大きな道路(環状八号線)のわきに出ると、車の排気ガスのにおいがしてきました。すると一人が、

「うっ、くさい! なんかにおいがする」

と手のひらで口を押さえました。それを聞いた他の子どもたちも鼻をヒクヒクさせて、

「ほんとだあ」

と、まねをして口を押さえます。そのとき保育者が、

「苦しい……、もうダメだあ」

といって倒れると、子どもたちは慌てて集まってきて、

「しっかりして」

「大丈夫よ」

と頭をなでたり、体をさすったりします。

「さあ、この薬を飲んで。元気が出てくるわ」

と、薬を飲ませるまねをする子どももいました。そんなようすを見ていた二、三人の子どもたちは、やっぱり保育者と同じように、

「苦しい」

といってバタバタと倒れ、同じように助け出されていました。

そんな一件のあと、K男が公園の案内図を見つけて、

「あそこに地図があるぞ。見に行こう」

と走り出しました。そして、案内図を見上げながら、

「ここはおばけの森だから、行かないほうがいいよ。でも、こっちは大丈夫みたいだね」

他の子どもたちも真剣な顔で地図を見上げ、

「ここにはヘビがいるよ」

「きっと、こっちの方が安全だよ」

と、思い思いの想像をめぐらせていいます。そこで保育者も、

「じゃあ、ここをこうやって、こう行って、ここを通れば大丈夫だね」

と、子どもたちと話を合わせ、再び出発しました。

さて、森に入ってから、遊びに変化をつけるために、保育者の一人が子どもたちの先回りをして、怪獣に変身することにしました。これは、子どもたちの表情から、そろそろものたりなさを感じてきているのではないかと思ったので、とっさに思いついたのです。パートナーの保育者とは、その場で簡単な打ち合わせをして別れました。

「先生がいなくなった」

と、子どもたちは大さわぎです。ちょうどおばけの森のような暗いところだったので、おばけに食べられてしまったのではないかと心配して、みんなで探します。

一方、大きな木の陰に隠れた保育者は、怪獣に変身したことがわかるように、近くにあったポプラの葉を何枚か身体につけて、子どもたちの前に飛び出して行きました。

「ガオー！葉っぱ怪獣だぞー！」

それからは広い公園の中で追いかけっこです。枯れ

葉をかき集めて子どもたちに向かって思いきりばらまいたり、木の陰に隠れたり、突然出て行って驚かせたりしながら怪獣は小さな山の上まで逃げていきます。子どもたちはそれぞれの役になりきって、おもしろそうにどんどん追いかけてきます。

山の上に追いつめられた怪獣は、ターボレンジャーにやっつけられた形で倒れてしまいます。黙って動かなくなってしまった怪獣を、子どもたちは心配そうにのぞきこみ、また薬を飲ませてくれました。

結局、この遊びは、「くさいにおいをかいだら怪獣になってしまったみたい」ということにして幕を閉じました。

(7)　ファミリーパークでのごっこ遊びの後、保育園での子どもたちのごっこ遊びに少しずつ変化が見られるようになってきました。それは、これまでのたくさんの遊びの経験から、今度は自分たちで遊びを見つけて、友達といっしょに遊びだしたのです。

園庭の水たまりに両手をつっこんで遊んでいたN男が、自分の手がドロンコでまっ黒に汚れていることに気がつくと、その手を広げて、

「ガオー！　ドロンコ怪獣だぞー」

と、いかにもこわそうにのっしのっしと歩きだしたのです。近くにいた女の子たちは、

「キャー、助けてー！　怪獣だー！」

と逃げだします。それも、うれしそうに笑い声をあげながら。それを見ていた他の子どもたちも何人か加わって、しばらく子どもたちだけで追いかけごっこを楽しんでいました。

(8)　二歳児クラス後半から始まったキャラクター遊びは、現在も子どもたちの中で変化しながらも続いています。これまでの経過からもわかるように、子どもたちの成長とともに遊びは変化し、また、遊びを通して子どもたちも変化してきました。

Y子とA子は今も仲よしで、チーズとアンパンマンの関係が続いています。Y子は今でもみんなにチーズと呼ばれています。以前、この二人は、クラスでは一匹狼的な存在で、一人遊びが多かったのですが、ごっこ遊びを通して友達とのつながりが持てるようになり、その楽しさも知ることができたのです。周りからの刺激に弱く、今一つ自分の力を発揮できずにいたA子でしたが、今では生き生きと遊べるようになりました。

ごっこ遊びだけではなく、どんな遊びをとっても同じですが、いろいろな遊びの経験によって、子どもたちがより生き生きと遊べるようになり、力をつけていくことこそ、わたしたち保育者の望むところではないかと思います。そのためには、保育者は子どもたちの遊びの世界に入りこみ、ときには子どもと同じ位置に立って遊びこみ、その楽しさを共有していくことが大切だと思います。大人の考えにとらわれることなく、子どもたちの発想を大切にくみ取り、遊びに生かして発展させていくことで、しだいに子どもたちも自分で遊びを見つけて、発展させていけるようになっていくことでしょう。

（東京都・世田谷区立ふじみ保育園　丸山浩子）

事例コメント

テレビから受ける刺激

現代の子どもは、もうテレビとは切り離せない関係にあるのでしょうか。生まれたときからテレビが家の中にあり、その映像を親しい友達のように見て育った子どもたちにとって、最も心を引きつけられるのはアニメの主人公に違いありません。自分が無力であることをひそかに感じている幼児は、スーパースターを成長願望のモデルとして見ているのでしょう。

保育園の二歳児たちも、お面やマントをつけ「エイッ」「トウー」などといいながら、あこがれのヒーローになったつもりで遊んでいます。これは外から見ただけで何の格好かわかるので、言葉を交わす必要もなく、同じ仲間としていっしょに走り回ったりします。その扮装とポーズが、いわば共通語なのです。まだ十分に話し合えない二歳児どうしを近づけるきっかけにもなってるようです。

そんな中にイヌのチーズになって遊ぶY子のエピソードが紹介されています。二歳くらいになると、想像力が育ってくることもあって、紙芝居や絵本を喜んで見るようになります。そこに出てくる人物の特徴や相互の関係もわかってきます。それがわからなければ、後半のアンコラ怪獣やアンパンマンとのやりとりはなく、ただイヌのまねをするにとどまっていたでしょう。

Y子がチーズになるのも、一種の変身願望でしょう。この年齢の子どもたちは、犬ごっこといって、三、四人でぞろぞろはって歩いたりするのをよく見かけます。ヒーローに変身するのも、身近なかわいい動物に変身するのも、自分以外の何物かになってみたいという欲望が生まれたせいでしょうか。自我が芽生え、自分という意識を持ち始めたところで、他の者になりたがるというのは興味深いですね。おそらく、自分以外の者を演じて「その者ならどうするだろう」と考えることで、他者の気持ちを理解するための学習をしているのかもしれません。

そのころから、ぼつぼつごっこ遊びのようなものが始まります。つまり、役割を伴う遊び、自分と他の幼児とのかかわりで続けられる遊びをすることができるようになるのです。Y子はイヌのまねをして吠えたり、足でひっかくまねはできますが、その先のストーリーの展開は考えていません。しかし、そこに保育者がアンコラ怪獣になって相手の立場を示唆すると（おなかがすいたから食べちゃうぞと）「キャー！助けて」と逃げ出すのです。この誘いかけがなかったら、Y子はイヌになって楽しんでいただけかもしれませんが、この呼びかけで俄然劇的な展開になりました。それを聞いた他の子どもたちが、その物語の登場人物になって助けにきます。普通の男の子としてでなく、その役を演じながら加わるのです。

保育者は集まってきた、役になりきった子どもたちに向けて次の課題を投げかけます。すると、子どもたちは夢中になって、それに対応する方法を考えるのです。キャラクターになっているだけの子どもがいても、まとまった遊びにはなりませんが「保育者が投げかけたことに対して、子どもなりに考えてそのキャラクターらしく対応していくのがよくわかります」と書いています。

ところが、三歳児クラスになると、同じような遊びでも、子どもの方からの投げかけが見られるようになるのです。保育者に対して「今日は○○になって」と注文が出ます。それに、同じ救出活動でも、以前はただ悪者をやっつけるだけだったのが、その方法をあれこれ工夫するようになります。また、なんとかして保育者を出しぬいてやろう、うまくだましてやろうと意欲を燃やすのです。意欲を燃やすと、頭の働きが活発になり、集中して知恵を絞ります。その結果、遊びもおもしろくなるのです。

こんな風に、保育者が遊びの中に投げかけをしていたことが、いつのまにか子どもの心の中で育っていき、今度は子どもの方からの働きかけを引き出したことになります。それというのも、先生と遊んだことがとても楽しかったからだと思います。遊びの題材が何であれ、この年齢の子どもは、自分たちでそれぞれ好きなことを見つけて遊ぶ時間も大切ですが、それだけではあきたらず、仲間といっしょにおもしろさを分かち合って遊びたい要求も生まれているはずです。二歳後期から三歳にかけて、この保育者は、そんな子どものようすを見ながらうまく付き合っていると思うのです。

次のファミリーパークでの経験は、また別な視点で子どもを見ることを教えています。こんなにターボレンジャーごっこを楽しんでいるのだから、広い自然の中でその遊びを行ったらどんなに発展していくだろうと、保育者はひそかに期待します。

「あっ、かっこいいピストル見つけたあ」と木の枝を拾っても

「この森は暗くてこわいから、だれか見てきてよ」

と投げかけをしてみても、そこからの発展はあまり見られなかったということです。「遊びが発展していくときの保育者と子どもたちとのキャッチボールのような心のやりとりがうまくいかず、いつものように子どもたちとごっこの世界を共有することはできませんでした」

とあります。

保育者の意図は「自然」に負かされたのです。子どもたちが広い公園に行けば、どういう行動をとるかわかりますね。広い野原を走り回り、芝生の上を転げ、草をむしったり、虫を追いかけたり、木の間でかくれんぼをしたり、わけもなく跳ね回ることでしょう。それがきわめて健全な姿であり、そういう経験を味わわせるために公園に行くのだろうと思います。

でも、この保育者が「キャッチボールのような心のやりとりがうまくいかず」と気づかれたのはすてきです。心のキャッチボールとはいい言葉ですね。日ごろ、そうやって子どもの心をつかんでいたからこそ、そのズレに気づいたのです。その日、保育者は少しがっかりされたでしょうが、子どもはのびのびと散歩を楽しんだことでしょう。

さて、この保育者は、なんとしても公園でターボレンジャー遊びを楽しませてやりたくて、再度子どもたちを誘います。お面も作り、初めからそのつもりになって出かけるのです。今度は、子どもたちも劇ごっこらしく、何かを見つけるたびに反応します。木漏れ日が揺れているのを不思議そうに見ていた子どもの一人が、「あ、これ、おひさまだよ。だって、見てごらん、木の上の方が光っているもん」といいます。

すると、みんなも見上げるシーンなどは、まるで絵のような詩のような光景ですね。劇ごっこをしていてふと気づいた自然の美しさを、子どもたちは印象深く受け止めたことでしょう。

子どもたちが保育者のしかけにうまくのってくると、保育者の方でもますます張り切って遊びを発展させたくなるのは人情です。しかし、三歳児ということを考えると、散歩全体をターボレンジャーごっこで通そうとしなくてもよかったのではないかとも思えます。地図のことも、年長児が示すような興味はもちません。図形を実体と比較するような思考はまだ無理です。森の中に入ってからも、遊びに変化をつけるために新しいしかけをしなくてもよかったのではないか、とも思います。「そろそろものたりなさを感じてきているのではないか」と思われたようですが、今までずいぶんおもしろく遊んできたので、むしろ、くたびれたのではないかな、と思うのですが。「公園でターボレンジャーごっこをして楽しかったね。あとはのんびりと好きなように遊びましょう」としてもよかったような気がします。

その後、少しずつ遊びのようすが変わり、保育者が中に入ってリードしなくても、子どもどうしでいろいろな場面を想定して遊び始めたとあります。こういう変化をしっかりととらえているのには感心しました。○○遊びが△△遊びに変わっていったという視点でなく、子どもどうしのかかわりがどう変わったのか、遊びの質がどう変化したのかを見ているからです。自分の手が泥だらけになったのを見て、「ドロンコ怪獣だぞー」とのっしのっし歩くN男を見て、何人もの子どもたちが仲間に加わってうれしそうに逃げまわる姿から、三歳児の成長ぶりが伝わってきます。

今後の課題

三歳児のこの段階まではたいへんうまく育ってきました。さて、これからの問題を考えてみましょう。もう一つの事例「アンパンマンごっこ」もそうでしたが、一体、子どもたちの興味はテレビアニメの世界からどこへ行くのでしょう。いいかえれば、アンパンマンの次に何がくるのかという問題です。テレビのキャラクターになって遊ぶのは、成長にともなって遊び方こそ変わるでしょうが、今後も続くものと思われます。やがて興味の対象がアイドル歌手や人気コメディアンに移っていくことでしょう。

そこのところを、私たち大人はどう考えていったらいいのでしょうか。テレビの映像は強烈なインパクトをもっているので、他のものではものたりなくなるかもしれません。絵本をじっくり見たり、保育者が語るお話をしみじみと聞くことが難しくなるようでは心配になります。でも、ありがたいことに、保育者は画像と違って子どもに直接働きかけることも、子どもから返ってきたものを受け止めるという関係づけもできるのです。三歳児が親のように慕い信頼している保育者という人間関係を生かして、子どもに知らせたいもの、感じてほしいものを伝えることができます。

テレビアニメやマンガ本が子どもにとって親しめる文化財であることはまちがいありませんが、あわせて他の経験もできるような環境を整えていくことが保育者の役割だろうと思います。

（愛媛県・松山東雲短期大学　吉村真理子）

理論考察

三歳児における図像遊び

はじめに

子どもの活動の多くは私たち大人の眼には遊びとして映ります。乳幼児が繰り返し繰り返し交わす母親との微笑、何度も振りまわすガラガラ。歩くことができるようになれば部屋から部屋へドスンドスンと身体をぶつけては往復し、好みのぬいぐるみをあやしたりしかったり、喚声をあげリズムにのって身体を動かします。自発的で自由な活動です。

ここでは、こうした多様な子どもの遊びの中から絵を描くという遊びを取り上げてみたいと思います。絵も他の遊びと同じように自発的な行為から生まれますが、ただ、音やリズムなどの遊びとは、痕跡が残り、それを子どもが視ることができるという点で違っています。

とはいえ、子どもの絵の発生はそもそも子どもの身振りが残す色やかたちの軌跡であり、それへの命名にあるのです。つまり、ふつうなぐり描きといわれる子どもの最初の絵にしても、飛び散り錯綜した点や線は、たとえ子どものさまざまな環境との交わりを内包しているにせよ、それ自体は目的も意味もなく繰り返し印されているわけです。子ども自身も自分の残したものに注意を払っているようすはないのです。

ところが、そうした痕跡に周囲の者（多くは大人）が加わることによって事態が変わってきます。無意識の場合があるとしても、大人は「これなあに」「あら、ママかしら」といったぐあいに線やかたちの意味を聞いたり、答えを試してみたりするからです。そのような大人の「干渉」や周りの人が何かを描いているようすを見ることを通して、子どもは身振りの痕跡を絵という遊びの素材にしていきます。

まもなく、子どもは、抑揚とか強調といった音のかたちや韻律の特徴が初期の言葉の生の素材となるように、線の洪水の中から身体の調節によっていくつかのまとまった線やかたちの絵の素材を分節していきます。同時に子ども自身も積極的に命名を始めるようになります。線やかたちによる「ごっこ遊び」が始まるわけです。

三歳児は線やかたちをどう扱うでしょうか。むろん、三歳児の絵は子どもの描画発達の一過程にすぎないわけですが、その中からいくつかの特色を取り上げて絵としての遊びについてみていきたいと思います。

図像づくりの遊び―頭足人間の登場まで―

まず、三歳児の描き出す図像について、子どもの絵の発達という観点からみていきたいと思います。

三歳児の図像といえば、一口にそれまで身体運動の軌跡としてほとんど無秩序に見えた点や線の中から、あるまとまった形を所有するようになる段階と考えていいでしょう。

なぜそのようなまとまりが生まれてくるかについては諸説ありますが、少なくとも子どもは二歳時代に、身振りの繰り返しだけでなくその痕跡を繰り返し見る、しかも注視するようになります。ときには、右手の強い往復運動から飛び出した紙面の線を左手でつかもうと把握のしぐさを試みることさえあります。目で、ときに手で、痕跡を探索し、やがて子どもは目と手の協応的繰り返しの中から、主として身体発達の順序、つまり中心から末端へという順序に従って自分で使うことのできる四つの「基本線」を用意します。

第一は、容易に身振りと結びついて見られるもので、叩きつけるような点や線です。短いものや長いものもありますが、一気に肩から放出されるといったものです。第二は、肘の関節がクキクキと方向を変えるようにして描き出される往復線のかたまりです。第三の、これがなんといっても子どもが「いい気分で」、まるでお腹の中心から湧き出たように描き出す回転する渦巻様の線のかたまりです。最後は、以上のいずれにも分類できないような、つまり、こうした単一なしぐさとはちょっと違って、あえていえば自由な身振りに逆って出てくるジグザグしたまとまりのない小刻みに進行する曲線です。子どもの身体の調節が手指にまで及んでいると考えられるものです。

さて、このように用意したイメージの道具を吟味し、反復し、どのように働くかを試しながら視覚的な加工を行うのが三歳児といっていいでしょう。線とかたちによる積極的なごっこ遊びを始めるわけです。このごっこ遊びに欠かせないのは言葉ですが、必ずしも図像と言葉が結びついているとも限らず、線やかたちだけで遊んでいることも少なくないのです。むしろ、絵によるごっこ遊びは線やかたちへの子どものある視覚的「納得」が命名という行為を引き出すといったほうが適当かもしれません。このプロセスをもう少し詳しくみていきましょう。

子どもが最初の名前づけに使うかたちはなんといってもまるです。まるは先に述べた基本線である渦巻様の回転運動の調節から生まれます。このことは第一に子どもの運動機能の発達を示しています。

たとえまるがいびつであったり端がうまくつかないものであっても、手を一回転で止めるという調節が可能になっているのです。

しかし、それ以上に閉じた線分であるまるは子どもの図像作りにとって画期的なことのようです。その場に立ち合った限りでは、多くの子どもはハッとしたように目が釘づけになるのは共通しています。明らかに視覚的ショックなのです。

ある女児の場合、それはちょうど三歳の誕生日の翌日でしたが、ペン先から飛び出た紙面のまるをジッと、それでも五、六秒ぐらいだったでしょうか、見つめると、そのまるの内側に同じように手を二度回して小さなまるを並べて描き「ママよ」と叫んだのです。とてもうれしそうにです。イメージと言葉の出会いの劇的瞬間です。こうした出会いの後、子どもは自分の見ている世界をかたちの世界にしていく道を積極的に歩んでいくことになるのです。

ところで、この三歳児が分節したまるや線に名前をつける行為ですが、最初は同じまるを数秒もたたないうちにパパからママへと変えて平気ですし、同じようなまるを並べて名前だけが違うといったぐあいなのです。つまり、図像と名前づけのしかただけを眺めているなら、大人が地図や表などで人間や場所や物などの位置や方向の差異をまるや三角、十字形といった記号で表すのと違わないわけです。ところが、子どもの場合、まるという閉じた線分は単なる輪郭線ではなく、中身の詰まったものそのものらしいのです。いままで触れ、味わい、聞くことなどで交わってきた感覚のすべてが詰め込まれているものなのです。

たとえば、このまるが人間の場合であれば、頭も胴体も手足も含まれた人間全部なのです。実際、先の女児が三歳八か月になったときでしたが、その日は真赤な洋服を着た母親といっしょにやって来

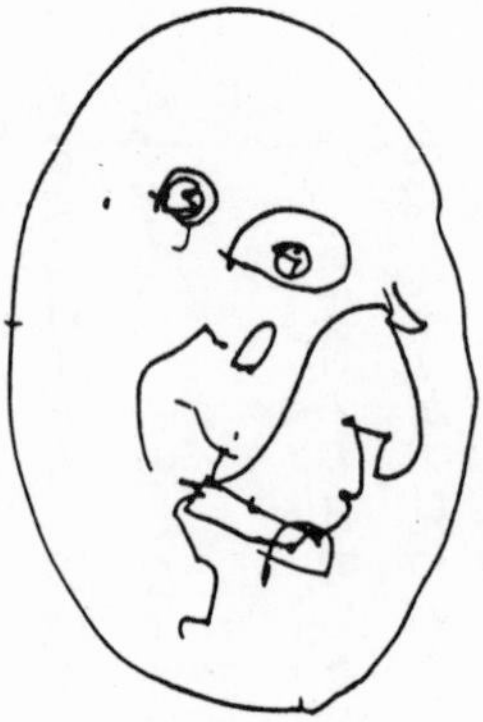
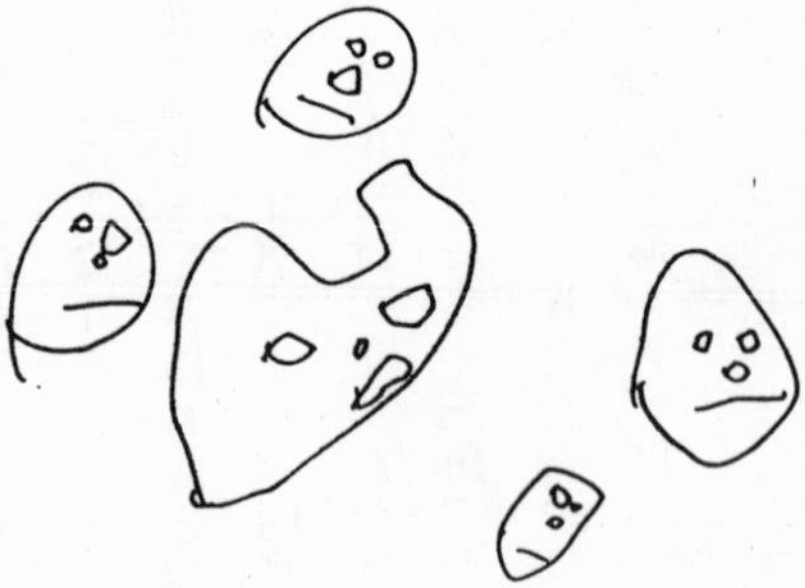

たのです。大きなまるを紙いっぱいに描き、内側に小さいまるを二つと直線を描き加え、大きなまるの外側に短い線を数本放散させ「ママ」といいながら、ついで赤いクレヨンをとるとまるの中の下の方に手を数回往復させたのです。赤い洋服を着た今日のママができ上がったわけです。

では、もう一つだけ図像づくりの素材、直線についてみておきましょう。直線は連続する腕の往復運動の中断から出てくる線分です。この線の中断という動作は子どもにとってかなり難しい身体の調整が肘や手首にまで及んできたことを示しています。子どもはこの直線をよくまるの周りに放散させて描きます。まると放散する直線の組合せ、これはその後年長児になっても子どもの絵のシンボルマークのように登場する太陽型とかマンダラ型と呼ばれる子どものもつかたちの「原型」の一つです。

ここで、まると同じように直線の意味を考えてみたいと思います。線とはもともと方向をもった運動です。曲線にしても直線にしても、子どもが線分を紙の上に登場させる始まりは身体運動に関係しているもののようです。例えば、ごく幼い子どもは「ヘビ」といって身体をくねらせてその動きを描きますし、「走っている人」と名づけてまるの周りに何本もの足を直線で放散させたりするからです。

まもなく、子どもはこうした素材を用いて、むしろ太陽型の原型から限られた線を特定してといったほうが適当かもしれませんが、人間の基本型を誕生させます。まると四本の直線でできたあの「頭足人間」です。顔から直接手足が飛び出した私たち大人にもはっきりと人を理解させる愉快なイメージです。

おそらく、最初に手足が分節され胴体の分節が遅れるのは、子どもの他者の身体像に対する知覚がまずヴィヴィッドな手足に向けられることにあるのでしょうが、と同時に三歳児が自分の身体そのものの認識（身体図式）をこの手足のヴィヴィッドな活動を通して行っている、つまり子どもが自分で動かすことのできる手足に比べて胴体の認識が遅れていることと関係していると考えられます。

いずれにせよ、三歳児はいろいろな頭足人間を紙面に浮遊させては、どんどん名前を与えていきます。それがだれであるのか、自分とどのような関係にあるのか、この関係を通して絵というイメージの物語が発生してくるのです。図像づくりの遊びから図像によるごっこ遊びが始まります。

図像によるごっこ遊び—流動するアナロジー—

名前のない線やかたちに子どもなりに名前づけを行っていくこと、しかも自発的に行うのが図像によるごっこ遊びです。あるいは図像ごっことは線やかたちへの見たて遊びといってよいでしょう。

さて、子どもの自発的な命名は、前節で述べたように、分節された直線や曲線、そして主としてまるから始まるわけですが、そこには子どもなりのある種の視覚的「納得」があるらしいと推測したわ

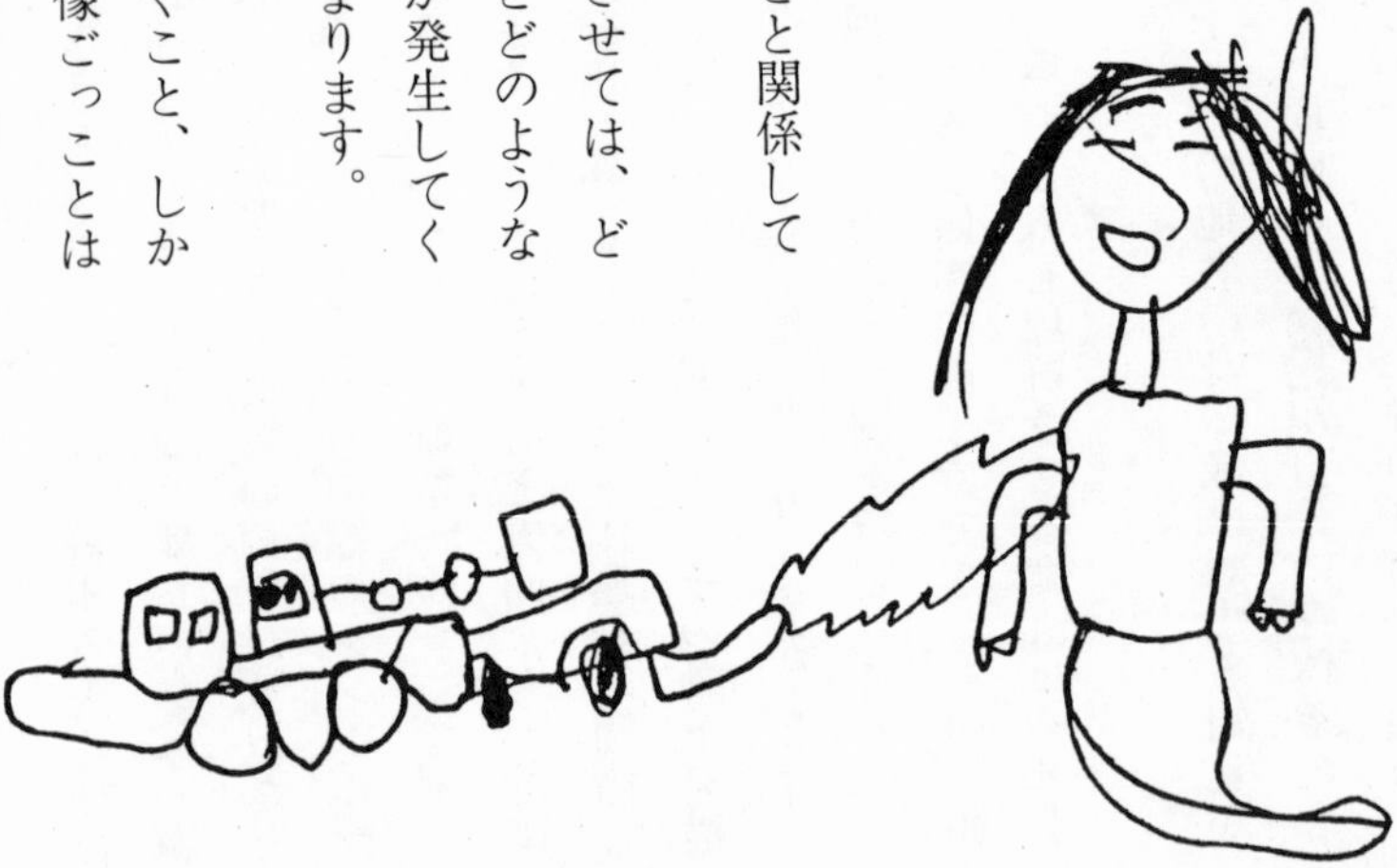

けです。というのは、三歳児の図像遊びを見ていますと、この視覚的な満足を味わっているような、つまり、子どもが対象《もの》を描いているとは思えない線やかたちのあり方を「完成」として認めることが少なくないからです。

　ある三歳児は、床に敷かれた大きな紙に飛び込むと、紙の枠いっぱいに閉じた線を回し、内側に数本の直線、その直線にバランスをとるように左右に二つずつ点を叩き一本の曲線を加えた後、線枠の外に直立線と点の配列そして最後に手腕の往復を繰り返すと、立ち上がって紙面をじっと見すえ「できた」とキッパリ宣言したのです（左上図）。点と線の配列そのものにある満足を感じたわけです。同様に、名づけられない太陽型や渦巻などを繰り返し繰り返し描く子どもが多いことはいうまでもないことです。いいかえれば、私たち大人の目に突如として始まるかに映るあのまるへの命名という劇的瞬間も、こうした名のない線やかたちとの「慣れ合い」の後に生ずるものなのでしょう。

　とはいえ、子どもの図像遊びも他の遊びと同じように〝見たて〟が、つまり線やかたちを自分の見ている世界の対象《もの》たちに近似させていくのが発達の王道であることに変わりはないわけです。ですから、もし名づけることのできない線が紙を埋めれば、幼い子でさえ「オバケ」とか「夜なの」と弁解することがあるし、年長児になれば「ただの模様だ」と自嘲的に説明することがあるのです。

　でも、多くの子どもは図像ごっこを生き生きと遊びます。そのプロセスをもう少し詳しくみていきましょう。普通、子どもの線やかたちへの名前づけの発達はおよそ次の三つの段階に分けられます。

第一は描いた点や線にひきつけられて描いた後に名前をつける段階で、当然ながらこの段階では名づけられない多くの線やかたちが残されることになります。第二は描きながら自分の手先から出てくる線やかたちに名前をつける段階で、ここでは名前はきわめて流動的になります。第三はこれから描くものについてはっきりと予告して描き始める段階です。子どもによるずれはあっても、三歳児は第一段階の後期から主として第二段階にあると考えられます。

では、三歳児における比喩《アナロジー》の独自性についてみていきたいと思います。一口にいえば、三歳児の描くイメージは多義的なのです。つまり、この期の子どもの描くイメージとイメージを意味するものとの関係は流動的で、この流動性はかたちだけでなく、それのもつ価値や意味まで合成されたり、圧縮されたり、置き換えられて自在に変えられるのです。

むろん、多義的といえば、「図像づくりの遊び」でも触れたように、子どもの紙面での最初の対象イメージからしてそもそも多義的です。同一のまるを指しながらパパ、ママ、タマゴ、バナナと名づけていきますし、同じようなかたちのまるを並べ描いてイヌやウサギ、家やテレビと説明するからです。この段階では類似によってではなく、単に名づけているといったものです。

こうした比喩のあり方は、もう少し対象を詳しく描き分けるようになっても変わりません。同じような頭足人をパパ、ママ、アンパンマン、カイジュウと名づけますし、同一の頭足人がパパからママへ変わるのに時間の必要がないときだってあるのです。でも、やがて図像づくりでまるに直線を加えることで、比喩としての人間像が生まれてきたように、頭足人にもその名前に応じた変化が試みられるようになります。頭足人の「頭部」の中に点が叩き込まれてヒゲのあるパパに、「頭部」の周りに往復線を走らせて長い髪のママに、また、目や口、あるいは脚の長さを変えることで友達や怪獣の違いにしてしまいます。つまり、子どもはなじみのある単位を反復したり、置き換えたり、回転させるといった配分や合成で、未分節なかたちをものともせず見たてを行っていくのです。

また、一つの対象を描いている途中でも、例えば、人間の顔にたてがみや長い耳を加えてライオンやウサギに、建物にまるをつけて自動車にしたかと思うと、さらにへの字形の長い線を何本も連ねて昆虫へと見たてを自在に滑らせていくのです。ですからときには、鳥から変身していった牛や馬が卵を生んでいたりするわけです。

場面や経験を描くときも同様です。予告して描き始めた場合でも、紙面に現れた線やかたちが他の関心や興味ある経験を連想させたり、もし急に新しいショックが加われば、見たてはすぐ変更されて複合した場面となります。

例えば、夏の遠出の一日について紙の右上の太陽の下につぎつぎと朝出発した自分の家、バス、乗り換えた電車、トンネルを通って着いた山小屋、たくさんの樹々と三角のテントを描き終えた子どもは、山小屋から見上げた夜空の星と三か月を輝く太陽と並べて描いたのです。また、ある女児はお姉さんの結婚式に出たことがよほど強く印象に残ったのでしょう。しばらく毎日何枚もの結婚式の絵を描いていましたが、それが止まって一か月後、ちょうど目の前にいるイヌを描き、犬小屋を描き終えてまるを連ねた鎖でイヌをつなぎとめたとき、連なったまるが花嫁さんの髪かざりを想い出させたらしいのです。あっという間に「犬小屋の隣で結婚式を挙げる花嫁さん」の絵ができ上がりました。

当然、昨今の子どもは昨日見たマンガの王子が今日見たアニメの潜水夫に変わって海底で活躍しているというように、人工のイメージでの加工による図像ごっこを盛んに行います。

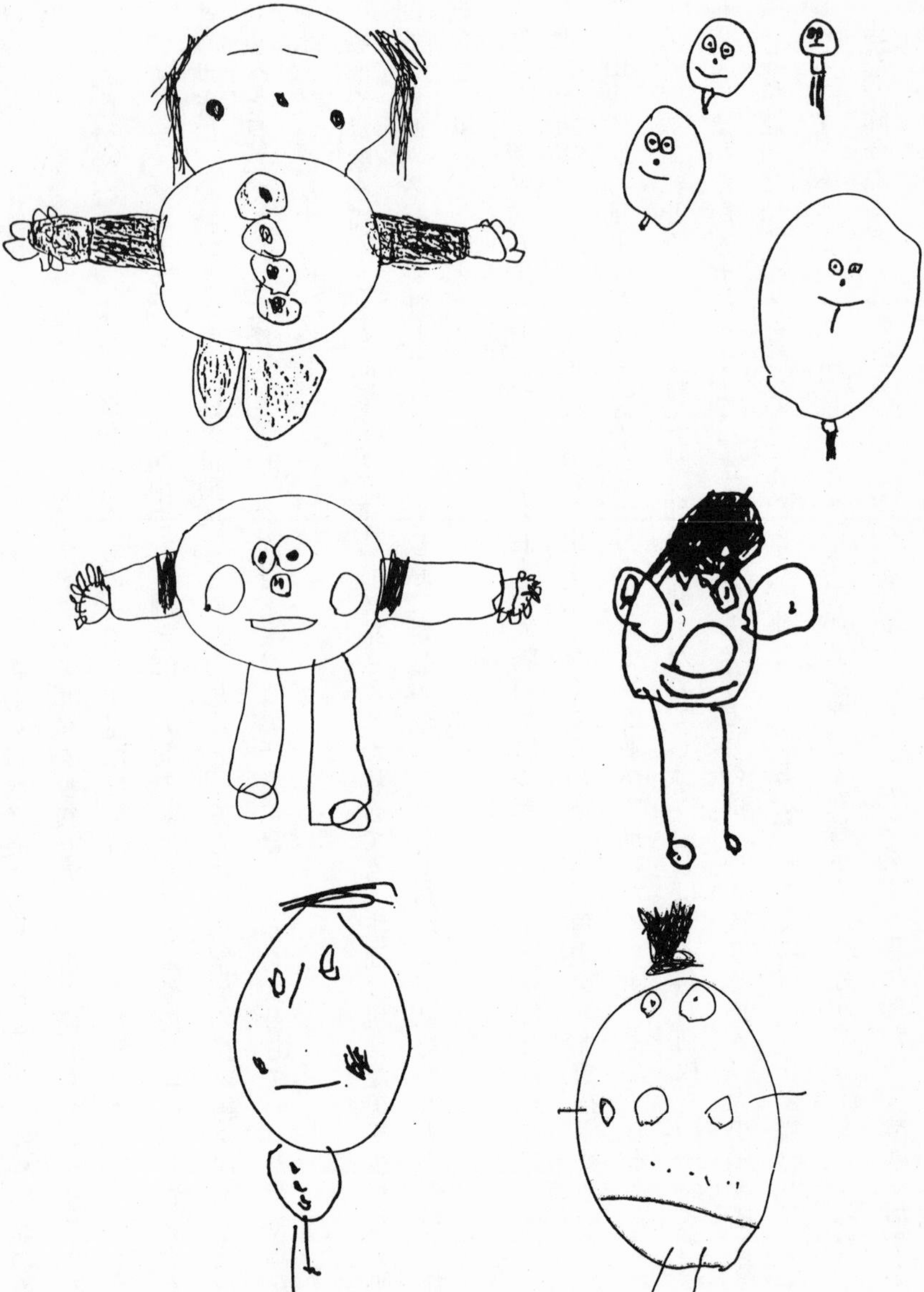

このように三歳児の図像遊びをみてきますと、その独自性とはこの流動するアナロジーにあるといえそうです。自在で敏感で柔軟性があります。しかし、ここで留意しておく必要があるのは、この自在なアナロジーはきわめて分節の少ない単純な線やかたちの組合せから成り立っているという点です。いいかえれば、この敏感さと単純さの複合性こそが三歳児の図像遊びのレベルであるのです。

変貌する図像遊び——文化の変容とともに——

最後に、図像遊びの今日的問題について考えてみたいと思います。というのは、子どもの図像遊びは自発的に生まれると同時に、図像としての意味は社会・文化的に形成されるという図像遊びにおける二面性のうち、後者の、つまり、社会的影響が今日きわめて大きくなってきていると考えられるからです。

まず、図像遊びの問題の前に、日常的状況が子どもに与える影響について、バンデューラらの研究にふれておきたいと思います。バンデューラらの研究は、子どもというものは、大人がこうしなさい、ああしなさいということより、むしろ大人たちがやっていることを見習ってしまうものだという、学習方法についての実験的検討です。つまり、他者（の行動）をモデル（手本）に行う学習で、モデリングといっています。

初めにモデリングがどのように成立するのかを検討した実験（一九六五）からみていきましょう。実験は二つのセッションに分かれています。第一セッションで、子どもはモデルを観察させられます。モデルは多くの場合、子どもたちにとって未知の女子大生が子どもとほぼ等身大の人形と遊んでいるのを撮影した映画で、普通の遊び方のほかに人形にパンチを加えたり、投げつけたり、横倒しにしたりといった攻撃的な行動のシーンがあります。その後、第二セッションで、子どもは映画のモデルと同じ状況の遊戯室に誘導され、そこで自由に遊ぶように促されます。この間、子どもはどんな行動をとるでしょうか。特にモデルのとった攻撃的行動がどう現れるかが観察、記録されたのです。

子どもは日常の園生活での攻撃性が測定されている男女の幼児で、グループ間に片寄りのないように三組に分けられています。その三つのグループは、観察する映画のモデルの攻撃行動への評価が次のように異なっています。すなわち、映画の中で攻撃行動をする女子大生が①「うまくやった」「いいぞ」とほめられる、つまりモデルの攻撃的行動がプラスの強化をされるのを観察するグループ、②逆にしかられている、つまりマイナスに強化されているグループ、③何もいわれない、つまり無強化のただ攻撃的行動を観察するだけのグループです。

結果は、一般に女児に比べて男児のほうがいずれのグループでも攻撃性が多いこと、そして、②のマイナスの強化のグループがやや他のグループに比べて効果が少ないものの、三つのグループの子どもすべてがモデルを観察するだけで攻撃性が獲得された、つまり、モデリングが成立したのです。

では、モデルになり得るものについてはどうでしょう。バンデューラらはいろいろなモデルでの実験も行っています（一九六三）。実験のセッションは同じですが、子どもの観察するモデルがグループによって次のように異なっています。ⓐグループは実際に女性モデルが攻撃的行動をしている現場を観察する、つまり実在モデル、ⓑグループはⓐを撮影した映画で観る、映像モデルです。ⓒグループは映像モデルなのですが、女性モデルがイヌやネコにマンガ化されています。それにⓓグループとしてモデルを観察しない統制グループが設けられています。

さて、次ページの図はいろいろなモデルの観察結果ですが、モデルを観たグループはいずれもモデルを観ないグループより（統計的に有意に）攻撃的行動が現れています。そして、なによりも注目す

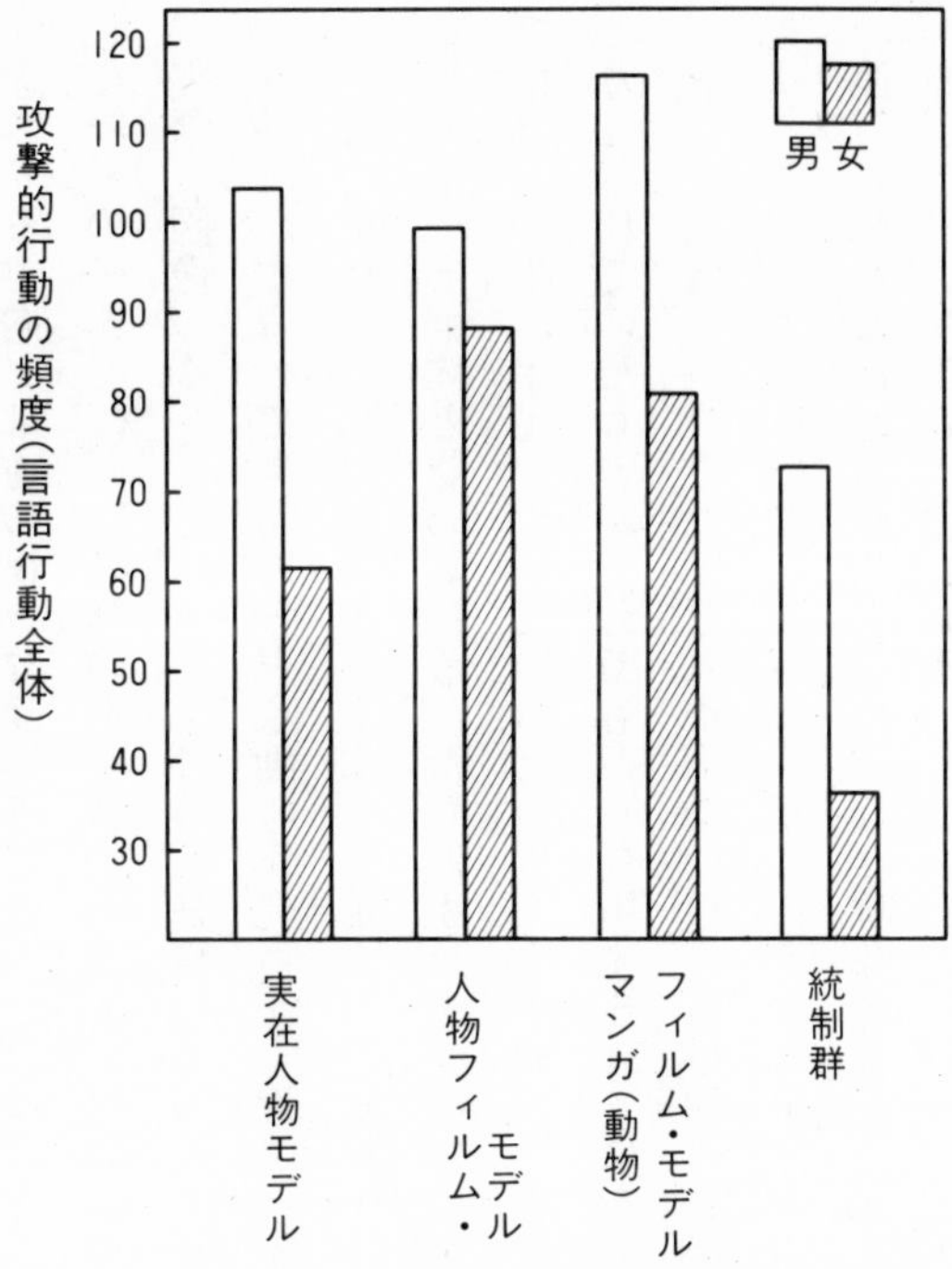

いろいろなモデルからのモデリング効果

柏木恵子「こどもの発達・学習・社会化」有斐閣より参照。

べきなのは、三種のモデルによる差がないこと、つまり、子どもにとってモデルが実在の人間かどうか、それを生に見るのか、映像というメディアを通してか、あるいはアニメという人工的なイメージであるかにかかわらず、等しくモデリング効果をもつという点です。

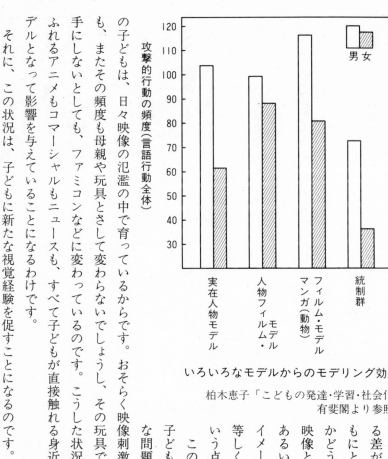

この結果は明らかに、今日の子どもの図像遊びにとって重要な問題を示唆しています。今日の子どもは、日々映像の氾濫の中で育っているからです。おそらく映像刺激と子どもの最初の出会いも、またその頻度も母親や玩具とさして変わらないでしょうし、その玩具でさえ、たとえ幼児が直接手にしないとしても、ファミコンなどに変わっているのです。こうした状況は、例えばテレビからあふれるアニメもコマーシャルもニュースも、すべて子どもが直接触れる身近な人や物と同じようなモデルとなって影響を与えていることになるわけです。

それに、この状況は、子どもに新たな視覚経験を促すことになるのです。つまり、いままでと同じように周囲にある物を見ることと映像を見ることで、しかもこの二つの視覚経験を同時に同じ量でしていくのです。

物を見るときには、近づいたり触れたり、子どもは身体そのものの制約を受けながら、子ども独自なものの見方を発達させます。つまり、子どもが周囲の対象《もの》を認識する際の視覚は、部分から全体へ移行する方向をたどります。この全体の統合が大人と子どもでは違っているわけです。図像づくりの発達の方向も「図像づくりの遊び」でみたように、まず身体活動であり、やがて目を協応させる、端的にいえば、触れる身体から見る身体へという方向の中で生成されていくわけです。

ところが、一方、映像はあらかじめ縮減されて与えられる像ですから、子どもが身近な物の見方を発達させる方向とは逆の視覚経験を与えることになります。つまり、すぐさま全体を把握します。そして今日の子どもは、この経験をごく幼いときからすさまじい量で行っているのです。

実際、図像づくりでも、子どもの最も独自な表現と考えられてきた例の頭足人間が変貌してきたという感じがするのです。ある児童画の研究者が「近ごろ素朴な頭足人間に出会うとホッとする」と漏らしたのを耳にしたこともあります。頭足人間の変貌とは、つまり、子どもが頭足期をパスして、一本の線で一応胴体と認められるかたちに手足をつけていたり、頭と胴体を最初からそれぞれ二つの円で描いたものに手足がついているといった人の絵をいきなり描くわけです。以前、頭足人の「奇形」と考えられていたものが、とても多く登場するようになったのです。

また、図像ごっこでも子どもが図像に与える最初の名前もその量も、パパやママといった身近な人と同じくらいテレビやアニメ、マンガのスターや主人公、英雄の場合が多いのです。このことは園児の他の遊びの報告と同様です。こうした映像によるイメージは、たとえいかに子ども向けに配慮がなされていたとしても、それは大人によってつくられたもので、いままで子どもの独自性といわれてき

たものとは本質的に違っています。そのうえ、そうしたモデルは大人たちが考え出した物語の中に組み込まれた一コマで、当然モデルたちは大人の与えた性格や役割をもっているのです。そこには、大人によって異形化《デフォルメ》されたイメージと同様に、アニメやマンガの中でのみ可能な性格や役割もあるでしょう。

このような映像刺激の氾濫の中で、子どもが発達することを考えると、図像遊びも触れるから見るへ、つまり〝身の周りにあるもの＝子どもの絵〟という図式は変形されて、〝映像に登場するもの＝身近なもの〟といったように、新しいモデリングによる社会・文化的影響をより根深く浸透させたものになっていると考えられるのです。

おわりに

身振りの痕跡を奔放に残し、アナロジーを流動させて図像づくりに興じ、多様な見たてで図像ごっこを行う一連の子どもの図像遊びをみてくると、子どもが絵を描くことは、明らかに子どもにとって遊びであることがわかります。そして、この図像遊びという自発的な活動は子どもの創造力を引き出す、あるいは育てる教育手段であると思います。

ただ、同時に、三歳児だけで全体の展望を出すことは不可能ですが、子どもはいまの時代に流通しているメディアの影響をすでに十分受けていることがわかります。このことは、図像遊びのみならず保育現場での報告のごっこ遊びにみられる通りです。子どものごっこ遊びの役割やその性格の特定化など、アニメやマンガの主人公の場合が圧倒的に多いのです。

むろん、ごっこ遊びがアニメの主人公であったり、図像が映像メディアに似てきたからといって、それを一概に拒否したり特殊なことだというのではありません。子どもが社会の影響を受けるのはいつの時代でも変わりはないわけですし、むしろ子どもの正常な発達とは、子どもが所与の文化の様式を身についていくことにほかならないのです。事実、図像ごっこも兵隊さんやノラクロなど時代によって変わってきています。図像づくりにしても、すべての子どもがアニメやマンガの既製のイメージをただ写しているわけでもないのです。たとえ既製品の場合でも、よく見て組み合わせたり工夫して、自分なりのイメージを作り出していることもあります。

おそらく、これからもテクノロジーの生み出す新しい材料もイメージも日々変化していくことでしょう。それにしたがって子どもの遊びも当然変化します。映像メディアの図像にしても、送り手が大人とは限らず、図像遊びそのものが壁や紙面で行われずに、テレビの画面に描かれていく自分の図像を見ながら手元の図版に手を動かしていく「映像画材」による図像づくりの試みが始まっています。ですから、失われるものに目を向けると同時に、子どもが生き生きこたえるものが何であるかについて目を向けることも、私たち大人にとって必要なことです。つまり、メディアへの過小評価も過大評価もできない点を留意すべきです。

それにしても、この映像メディアの中で、大人が与えるさまざまな虚構のイメージや物語の子どもへの浸透の度合いを考えるなら、もはや子どもの独自性や純粋性という「神話」もまた今日の子どもにとって固定した子ども観であり、発達観になりつつあるわけです。

いま、映像のシャワーの中で遊ぶ子どもたち。それは子どもの問題であると同時に、青年期へつながる教育的問題の意味を問うことにもなるのでしょう。

（東京都・東京造形大学　安斎千鶴子）

参考文献

柏木恵子『子どもの発達・学習・社会化』一九七八　有斐閣
安斎千鶴子『子どもの絵はなぜ面白いか』一九八六　講談社

あとがき

保育者にとって自分の保育を意識することは案外難しいことです。別の年齢の保育を担任している時にかえって他学年の保育が見えてきたり、冬になってから夏の季節に行った保育の問題点が見えてきたりして「来年の夏には」の期待をため込むことも少なくありません。私は保育歴7年の時に初めて三歳児を担任したのですが、その時の印象は、それまでの自分の四―五歳児の保育に対し「ああ今まで私はなんてきめの粗い保育をしていたのだろうか」という反省でした。三歳児の延長としての四、五歳児の理解が不足していたのです。それまで「四歳児の保育は」などと実習生たちに話していた内容がずいぶん表層的だったと恥ずかしく思いました。しかし、この思いとともに、もう一方では新しい事態に出会うたびに〝三歳児保育はおもしろい〟の印象が強くなったのも事実です。特に三歳児との生活は、毎日新しい発見があるからです。

今回、フレーベル館から小川先生の監修のもとに三歳児の遊びを具体的な事例を軸にして、コメントと理論を加えて一冊の本にまとめたいというお話があったとき、まっさきに浮かんだのは、この本がきっかけとなって「三歳児保育っておもしろそう」という人が一人でも増えてくれたらいいなという思いでした。それには三歳児の生活がまるごと想像されるような本でなくてはなりません。しかし、園によってものの配置や遊具の種類も違っていますし、動きや表情などを文字で伝えるのは大変困難で苦労のいることです。また、それを読み取ってコメントするのも難しいことですから、果たして出版までこぎつけることができるだろうかという危惧もありました。

けれども、幸いに現場で三歳児と直接かかわっていらっしゃる先生方が、子どもたちの生き生きとした姿をまとめてくださいました。さらに、この事例にていねいに目を通してコメントをお書きくださったり、理論を分かりやすく添えてくださった先生方のご協力が得られました。この本をお読みになった方に、また一つ三歳児の新たな姿が加わったとすれば、それはひとえにご援助くださった先生方のおかげです。ありがとうございました。厚くお礼申し上げます。

平山　許江

〈事例コメント〉
加藤　敏子　東京都大田高等保育学院（東京都）
高橋　照子　埼玉純真女子短期大学（埼玉県）
高橋みずこ　千代田区立小川町幼稚園（東京都）
平山　許江　東京学芸大学附属幼稚園（東京都）
吉村真理子　松山東雲短期大学（愛媛県）

〈理論考察〉
安斎千鶴子　東京造形大学（東京都）
柴崎　正行　文部省（東京都）
平山　許江　東京学芸大学附属幼稚園（東京都）
吉村真理子　松山東雲短期大学（愛媛県）

第3巻　執筆者一覧

〈**実践事例**〉

江間　あい　あゆみ幼稚園（神奈川県）

菅田　栄子　松山東雲短期大学附属幼稚園（愛媛県）

菅沼　和恵　城西幼稚園（東京都）

須藤　光子　練馬区立南田中第二保育園（東京都）

高橋久美子　世田谷区立若竹保育園（東京都）

高橋みずこ　千代田区立小川町幼稚園（東京都）

塚本美知子　千代田区立番町幼稚園（東京都）

中村　純子　千代田区立番町幼稚園（東京都）

深澤美智子　千代田区立富士見幼稚園（東京都）

丸山　浩子　世田谷区立ふじみ保育園（東京都）

森元真紀子　岡山大学教育学部附属幼稚園（岡山県）

山路　純子　茨城大学附属幼稚園（茨城県）

［年齢別保育実践シリーズ内容紹介］

第一巻　0～1歳児の遊びが育つ

序章　遊びの発達をどうとらえるか
第一章　生活リズムと遊び
㈠　睡眠
㈡　食事
㈢　排泄
［理論考察］遊びの基礎としての生活のリズム
［理論考察］養育は子どもとの共同作業
第二章　ものとの出合いとともに育つ遊び
㈠　動く楽しさ
㈡　動物との出合い
㈢　音楽との出合い
㈣　テレビとの出合い
第三章　人との出会いや交流の広がりとともに育つ遊び
㈠　一卵性双生児のかかわり
㈡　大人からのかかわり
㈢　人見知り
㈣　仲間意識の育ち
［理論考察］人やものとのかかわりの中の、遊びの萌芽としての自主的な活動
第四章　ことばの発達とともに育つ遊び
㈠　H男の成長から
㈡　T男の成長から
第五章　ごっこの始まり
㈠　乗り物に関する遊び
㈡　身をかくす
㈢　「わたし、先生よ」
［理論考察］コミュニケーションの中のことばの発達とともに育つ遊び

第二巻　2歳児の遊びが育つ

序章　遊びの発達をどうとらえるか
第一章　生活とともに育つ遊び
㈠　着替えから睡眠の流れの中で
㈡　食べることの楽しさ
㈢　排泄
㈣　道草で広がる遊びの世界
㈤　仕事の始まりに続くような活動
［理論考察］二歳児における生活と遊びのかかわり
第二章　遊具やいろいろな素材とのかかわりで広がる遊び
㈠　イメージの世界での広がり――絵本との出合い
㈡　日用品のあるままごと環境――物との出合い
㈢　二歳児の遊びが育つ保育
㈣　遊びの発展（繰り返す遊び）
［理論考察］遊びの中での環境との出合い
第三章　保育環境
㈠　ままごと遊びの中で
㈡　仲間の遊びに誘われて
㈢　まねっこ遊び
［理論考察］人とのかかわりの遊び
第四章　ことばの発達とともに育つ遊び
㈠　遊びの中のひとりごと
㈡　つもり遊び
㈢　二歳児の歌遊び
［理論考察］ことばの発達と遊びとのかかわり
第五章　イメージの広がりとともに育つ遊び
㈠　人間のイメージを生みだす役割遊び
㈡　場所や物のイメージを生みだす見たて遊び
㈢　人形を使ったイメージ遊び
［理論考察］遊びにおけるイメージのはたらき

年齢別保育実践シリーズ③
3歳児の遊びが育つ
一九九〇年七月二〇日　初版発行
編集責任者　小川博久
発行者　長谷文雄
印刷所　凸版印刷株式会社
発行所　株式会社フレーベル館
東京都千代田区神田小川町三―一
郵便番号一〇一
電話　東京（二九二）七七八三（代）
振替　東京　九―一九六四〇
落丁・乱丁本はお取替え致します　ISBN4-577-80130―2　C3037